Et vibrent les cordes
de nos vies écorchées

Et vibrent les cordes
de nos vies écorchées

Laurent Fortier

© 2020, Laurent Fortier

Edition : BoD – Books on Demand

12/14 rond-point des Champs-Elysées, 75008 Paris

Impression : BoD – Books on Demand, Norderstedt, Allemagne

ISBN 9782322211937

Dépôt légal : novembre 2020

Photo couverture : Stepan Karasek

A Lucile, sans qui ce roman n'aurait pas vu le jour.

Prologue

C'est sur un air de Brahms que tout a commencé. Son double concerto pour être exact.

Nous étions dans la deuxième décennie du XXIe siècle. J'avais dépassé les quarante ans depuis quelques années. J'étais dans une période de mon existence d'adulte enfin en phase avec moi-même. Après des débuts plus compliqués, qui ne me ressemblaient pas et ne m'ont pas rendu heureux. Et, plus loin encore, après une enfance que l'on ne saurait qualifier de joyeuse. Je ne garde d'ailleurs aucun bon souvenir de mon jeune âge, ni de ma première vie d'homme.

Ce jour-là, j'entendis cet air de Brahms à la radio.

Étonnement, une émotion particulière m'envahit. Ce n'était pourtant pas la première fois que j'écoutais ce morceau. Mes parents, ma mère surtout, étaient férus de musique classique. Pas un jour sans que des symphonies ou des sonates résonnassent dans le grand appartement sombre et mal entretenu que nous occupions à Nantes. Comme cela avait été le cas jusqu'alors, cet air aurait dû m'évoquer, une fois de plus, toute la cafardeuse ambiance de mon enfance. Cette chape de plomb qui a forgé sur moi une durable inclination au spleen baudelairien.

Mais, contre toute attente, ce morceau de Brahms m'emporta et me fascina.

Pourquoi ? Je l'ignorais.

Je poursuivis l'expérience seul, en cherchant sur le web des vidéos de concerts interprétant les airs que j'avais entendus jeune. L'effet persista. Et persiste encore aujourd'hui.

Je me pris de passion pour la musique classique que j'avais écoutée pendant tant d'années malgré moi, alors que les adolescents de mon époque dansaient sur les tubes de Mickaël Jackson, de Sting et de la

Pop Music des années 80/90. Un pan de la culture communément partagée par mes actuels amis et qui m'a été complètement étrangère. Et me reste encore, en très grande partie, inaccessible.

Bref... Loin de moi l'idée de faire le procès de mes parents et de dédouaner ma coupable faiblesse de caractère d'alors. D'autres que moi les auraient envoyés valdinguer par-dessus les montagnes avec leur vieux tourne-disque, leurs réflexions de droite et leur sinistrose. Ils auraient fait le mur et éprouvé pleinement ce que seule l'adolescence permet de vivre. Je n'avais pas eu ce courage-là mais j'ose croire que je l'aurais désormais si la nécessité de résister et de me rebeller devait m'échoir...

Ce que j'essaie d'expliquer est qu'à partir de cet improbable instant où Brahms résonna à mes oreilles, je me mis en tête de retrouver les belles choses d'antan que la modernité d'aujourd'hui a fait oublier. De retracer autant que faire se peut ce qui me sembla former l'esthétique du siècle passé et des siècles précédents. Le son imparfait de la musique sortant d'un tourne-disque, les adjectifs désuets de la langue française, les vieilles voitures sans aucune assistance ni fioriture, les gilets de costume, les chaussures à semelles en cuir, les montres à gousset, la peinture impressionniste et les moustaches en guidon de vélo.

Je m'appelle Roland Rifter. J'ai 45 ans.

1er mouvement *(Allegro)* :

quatre impromptus parmi tant d'autres

<u>*Impromptu :*</u> *composition musicale libre, semblable à une improvisation, généralement écrite pour un seul instrument.*

Vendredi 22 novembre 2019

Après avoir acquis sur internet un tourne-disque compatible avec ma platine, je me mis en quête de vieux vinyles de musique classique. Entre deux rapports d'étude de sols à sortir pour mes clients, j'épluchais consciencieusement les sites de vente d'occasions entre particuliers. À la recherche d'annonces de 45 tours sans défaut et bon marché de mes compositeurs et interprètes favoris.

L'une d'elles retint mon intérêt.

Quelques minutes plus tard, je composai le numéro de téléphone indiqué sur le descriptif :

« Allo ? J'appelle pour votre annonce de disques vinyle.

— Ah oui... C'est pas moi, c'est mon grand-père. J'peux pas vous renseigner, me répondit une voix de femme à peine dégrossie.

— Et est-ce que je peux lui parler ?

— Ben non... Il est pas là. Il est à l'hosto. Faut le voir directement sur place car il a pas le téléphone et qu'il risque d'y rester un bon bout de temps. C'est au Mans.

— Bien, hésitai-je. Je vais réfléchir... Je vous rappelle.

— Ouais. Il a qu'à faire comme ça. »

Elle me raccrocha au nez sans autre forme de procès.

Je retournai à mon bureau avancer sur mes devis en retard. De temps à autre, je repensai au coup de fil passé. Fallait-il que je reste bloqué sur le ton revêche de cette bonne femme ? C'était d'autant plus dommage que ce que proposait le papi était vraiment alléchant.

Une heure plus tard, un client me téléphona. Un terrain à voir près d'Alençon.

« De là, je ne serai plus très loin du Mans », me dis-je.

Je pris sur moi et rappelai la malotrue. Comme la première fois, ce fut bref et désagréable. Elle me donna l'adresse d'hospitalisation de son grand-père, je lui précisai le jour de mon passage et elle raccrocha sèchement avant que je pusse lui présenter mes civilités.

Samedi 23 novembre 2019

Une dame obèse remonta le couloir du centre de rééducation en soufflant. On lisait l'agacement sur son visage ingrat. Elle s'arrêta devant une chambre et en ouvrit brutalement la porte sans même frapper.

« C'est moi, j'ai pas beaucoup de temps », glapit-elle à travers la pièce.

Puis, elle balança une grosse besace de provisions sur le lit médicalisé dans lequel se tenait un vieil homme.

« Bonjour, ma petite-fille », soupira-t-il.

À pleines brassées jetées sur les étagères d'une armoire, elle vida le sac de son contenu de vêtements réputés propres. Puis, dans la même gestuelle mais inversée, elle y enfourna le linge sale de l'aïeul.

« Comment vas-tu ? s'essaya le malade.

— Ben, je bouge encore à c'que tu vois.

— Moi, les kinés disent que je fais des progrès.

— Ah ouais ? On dirait pas comme ça... Tu peux toujours pas marcher ?

— Non... Mais j'arrive presque à me servir de mon fauteuil pour me déplacer.

— Super, Josef ! Et tu crois que ça va le faire dans ta p'tite baraque en bois ? Ça va plutôt être la maison de retraite ! Et ça va coûter une blinde.

— J'ai ma pension et des économies... Je pourrai payer la maison de retraite.

— Tout va y passer, ouais ! Super ! »

Il y eut un court silence.

« Bon, allez, j'ai pas que ça qu'à faire. J'me casse. »

Elle ajouta en s'approchant de la porte : « Au fait, y'a un mec qu'a appelé pour tes vieux disques. Je lui ai dit de venir te voir. J'veux pas m'occuper de ça. Il passera dans trois jours. »

Puis elle claqua la porte derrière elle et reprit le même couloir qu'à l'aller. Avec un souffle tout aussi épais et exaspéré.

Le calme était revenu dans la pièce. Josef Apelkir remonta difficilement les draps sur ses épaules. Depuis l'accident, il avait récupéré une bonne partie de la mobilité de son bras droit. Beaucoup moins du gauche. Et quasiment rien dans les jambes.

Il tourna la tête vers la fenêtre entrouverte. Une éclaircie jetait une belle lumière sur le sommet des arbres, par-delà l'atmosphère froide et déshumanisée de sa chambre médicalisée. Les croassements d'une corneille noire trouaient le silence de la pièce.

Josef pensa à sa femme Lucienne.

« Elle adorait tellement cette saison », se dit-il à lui-même en souriant.

Son regard se perdit un long instant dans les feuillages dorés et cramoisis d'automne. Il se rappelait la petite maison de campagne qu'il occupait avec son épouse depuis sa retraite. Et leur bon vieux gros chien qui avait vécu heureux ses dernières années auprès d'eux. Et les jolies petites fleurs que faisait pousser Lucienne. Sa vie d'avant l'accident...

Puis, une larme finit par glisser le long de sa pommette ridée.

« Ses plus jolies fleurs finissaient toujours par devenir de gros chardons piquants », rumina-t-il.

Mardi 26 novembre 2019

Esther se réveilla trop tard. Beaucoup trop tard pour arriver à l'heure à son entretien d'embauche.

Faire la fête, se bourrer la gueule, oublier ce qui s'est passé après minuit et émerger en vrac sur le canapé en toute fin de matinée rimaient difficilement avec recherche d'emploi.

« Une occasion manquée de plus... » pensa Esther, avec dépit.

Elle se leva, tituba et se précipita pour vomir dans les toilettes.

Puis, elle s'effondra en sanglots.

« Putain, mais quelle conne... Quelle conne ! Je foire tout... Vraiment tout ! »

*****

Je partis de Caen à midi.

Avec le temps de la route, de passer rapidement chez mon client à Alençon puis de m'arrêter manger à une station-service, je tablais sur une arrivée vers 14 heures au Mans. Un créneau que je jugeais décent pour débarquer dans un centre spécialisé de rééducation. Après le repas et avant les soins. Idéal comme horaire pour discuter vinyles et musique classique.

En arrivant à pied devant le hall d'accueil de l'établissement, je me rendis compte que je ne m'étais pas préparé à ça.

Deux gugusses, couchés à plat ventre sur des brancards, encadraient le sas d'entrée. Ils fumaient d'un air mauvais et me jetèrent un coup d'œil de prédateurs. Marcher sur ses deux jambes semblait ici un luxe insolent et passible d'une fin violente.

Puis, après avoir récupéré le numéro de la chambre de mon vendeur de disques auprès d'un infirmier très occupé à dégoiser sur sa cheffe dans l'oreille d'un collègue, je me rendis à l'ascenseur central. Dès l'ouverture des portes, deux fauteuils roulants en sortirent de front, ne me laissant pas d'autre choix que d'esquiver la charge d'un habile entrechat sous peine de me faire faucher au passage.

Une vieille dame sans âge qui avait surgi derrière moi me poussa alors à l'intérieur de la cabine à coup de déambulateur dans les fesses et ronchonna ce que j'estimais être des insultes à mon endroit. Elle appuya sur le bouton de son étage et planta ses yeux caverneux dans les miens.

Je sortis au deuxième, sous le regard courroucé de ma compagne d'élévateur et entendis la porte coulissante se refermer derrière moi avec soulagement.

« Chambre 216... Putain, c'est où ? » m'énervai-je.

Une bonne dizaine de petits panneaux et pancartes couvrait les murs.

Heureusement, aucun paralytique ne m'avait encore repéré et je pouvais prendre le temps de déchiffrer les indications.

Cet amoncellement d'informations placardées de façon si anarchique m'interloqua. Comme si chaque service du centre avait craché là, avec exaspération, les réponses aux questions que les patients et leur famille leur posaient sans cesse. Un moyen de leur rétorquer sans ambages : « Allez voir sur le mur, c'est affiché ! ».

Enfin, le bout d'une pancarte cachée par la feuille mal punaisée des menus de la semaine s'offrit à mon regard désespéré. Je soulevai le papier.

« Chambres 215 à 224, c'est par là... »

Après une interminable succession de portes le plus souvent closes, mais parfois ouvertes sur des êtres humains prostrés dans leurs fauteuils roulants ou momifiés et hébétés au fond de leurs couchages, je parvins, le cœur remué, à hauteur du numéro 216. Une infirmière en sortit et me salua à la volée en poussant une desserte métallique branlante devant elle.

Je pris une profonde inspiration et toquai au battant. Aucune réponse.

Je recommençai. Toujours rien.

Je finis par me décider à jeter un œil à l'intérieur.

Un vieillard était installé dans son lit, en position semi-assise. Recouvert jusqu'au cou par un drap effiloché d'hôpital, il fixait le plafond sans bouger. Cette vision m'était pénible.

« Bonjour ! » lançai-je d'une voix plus forte qu'à l'ordinaire.

Surpris, son regard s'abattit sur moi en même temps que les rides de son visage se tendirent.

Une voix d'outre-tombe s'échappa de son petit corps frêle et amoindri par l'âge :

« Vous êtes qui ? »

Je me présentai, rappelai la vente des vinyles vue avec sa petite-fille.

« Ah oui... Je suis Josef Apelkir. Vous avez eu affaire à ma petite-fille Audrey mais il s'agit de ma collection de disques. Alors, comme ça, vous aimez la musique classique ? »

Et nous nous mîmes à discuter de ses microsillons. Puis compositeurs, interprètes et instruments. Je devais forcer la voix car Josef avait une otite qui dégradait son ouïe naturellement un peu faiblarde. Mais son esprit demeurait alerte et ses remarques avisées.

Lorsque je lui parlai de la puissance dramatique des œuvres de Brahms, il rebondit sur la sensibilité romantique de Chopin et sa contribution majeure à la notion de « polonité ». J'enchaînai sur mon admiration de la rigueur et de la maîtrise pianistique de Barenboïm. Il me rétorqua préférer les chuchotements et le phrasé musical de Glenn Gould qui jouait presque allongé sur son clavier. J'inclinais pour la chaleur du violoncelle, il avait un penchant pour l'étendue harmonique, selon lui sans égale, du piano.

Notre conversation dura. Ce fut un plaisir. Mais je dus finir par prendre congé de mon hôte.

« Quand vous serez sortis de cet hôpital, demandez à votre petite-fille de m'appeler. Je viendrai vous acheter tous vos vinyles et on pourra discuter musique, lui dis-je en serrant sa main.

— On fait comme ça... Mais, maintenant, tu me tutoies, Roland. Et écris-moi ton numéro sur un bout de papier. Je m'arrangerai pour te faire appeler d'une façon ou d'une autre. Et puis, on ne peut pas compter sur Audrey pour ce genre de choses... La musique, ça la dépasse complètement. Elle en est restée au stade du triangle », conclut-il en souriant.

Je ressortis de la chambre le cœur plus léger qu'en y entrant.

*****

En début de soirée, Esther se morfondait dans le fond de son canapé en s'abrutissant devant une niaiserie télévisuelle.

Elle avait fini par s'extraire des brumes de sa cuite de la veille et pensait sombrement à son avenir.

Esther vivait au Mans et était dans une impasse. Plus de deux mois maintenant qu'on l'avait licenciée de chez American Tech Ltd. Son ex-directeur s'était surtout fait un malin plaisir à la griller auprès des autres grosses entreprises de la région du Mans. Celles qui ont besoin d'une assistante en ressources humaines comme elle. Impossible donc de retrouver un poste comme celui qu'elle avait, sans quitter la région. Et ça, elle n'avait pas encore franchi le pas dans sa tête.

De toute façon, trouver un boulot tout court dans sa branche était très difficile sans un coup de piston comme celui qu'elle avait eu, par un prof de fac, pour entrer chez American Tech Ltd. Le taux de chômage des diplômés de psycho était en France parmi les plus élevés.

Esther était jeune. Mais retourner chez ses parents pour rebondir n'était pas non plus envisageable. Quand elle avait accepté de travailler pour une boîte américaine, son père comme sa mère, d'anciens communistes devenus anarchistes convaincus, l'avaient conspuée. Les mots de « sociale traîtresse » et de « vieux connards révolutionnaires de mes deux » avaient fusé entre eux.

Bref, Esther déprimait à juste raison. Mais elle n'avait pas encore touché le fond.

On tambourina alors à la porte de son appartement.

La jeune femme se leva et jeta un œil dans le judas. La tronche déformée du propriétaire emplissait son champ visuel.

« C'est Monsieur Gardon. Je veux qu'on parle de vos loyers impayés. »

Esther recula précautionneusement de la porte sans faire de bruit. Leur dernière discussion téléphonique avait tourné au vinaigre. Trois échéances passées sous le tapis... En cause, un licenciement abusif pour faute grave, la lenteur de Pôle Emploi pour toucher le RSI et un train de vie trop dispendieux et irraisonné.

« Je sais que vous êtes là ! Je vous entends ! Ouvrez-moi ! »

Esther était tétanisée.

Une clé tourna alors dans le verrou de la porte. Le propriétaire entra dans l'appartement, accompagné de deux grosses brutes épaisses.

« Mais vous n'avez pas le droit ! Je suis chez moi ! cria Esther.

— Rien à foutre, répondit le propriétaire. J'veux pas de squatteuse dans un de mes meublés. Tu vas dégager de là maintenant ! »

La jeune femme se rua sur lui pour le repousser. Un de ses deux acolytes l'envoya valdinguer d'une gigantesque claque.

« Miloje, n'y va pas trop fort quand même... Bon, les gars, vous me la foutez dehors. Vous virez toutes ses affaires sur le palier avec la télé. Le reste est à moi. Radic, tu me changes le verrou aussi »

Un quart d'heure plus tard, Esther était au pied de son immeuble, ses affaires éparpillées dans l'escalier. Le proprio et ses deux Serbes étaient repartis. Elle avait appelé un de ses copains qui devait arriver d'une minute à l'autre avec quelques cartons.

Deux heures après son coup de fil, Esther était assise dans la voiture de l'ami retardataire. Le coffre et la banquette arrière étaient occupés par ce qu'ils avaient pu sauver de ses fringues, de ses produits de beauté, de ses bijoux. Le reste était cassé et avait dû être laissé sur place.

« Merci de m'accueillir chez toi, articula-t-elle difficilement.

— Ouais... Enfin, ça ne va pas être simple... Je sais que tu es dans la merde mais il ne faut pas que tu t'installes chez moi trop longtemps, non plus. Je te préviens : j'ai une vie moi aussi et, en ce moment, c'est compliqué avec Jason ! Disons que tu restes deux semaines max... »

Une camionnette du SAMU les doubla sirènes hurlantes. Esther aurait aimé y être. Au moins, quelqu'un se serait un peu inquiété d'elle.

*****

Au même instant, à environ deux cents kilomètres de là, trouant la nuit comme un missile clignotant de bleu, Tchavolo Loutcha conduisait son ambulance à tombeau ouvert.

Dans son rétroviseur, l'infirmier et le malade couché à l'arrière brinquebalaient en tous sens.

« Putain, Tchavo, ralentis un peu ! Tu vas nous tuer ! On est secoué comme des pruniers ! »

Le conducteur relâcha un peu sa pression sur la pédale d'accélérateur. Il pensa que ces gadjos[1] ne savaient pas ce qu'ils voulaient. Arriver vite à l'hosto ou crever sur la civière en cours de route ?

Mais pouvait-il leur reprocher de ne pas parvenir à choisir ?

Tchavolo avait souhaité se sédentariser, quitter la vie nomade de ses parents manouches. À vingt ans, il avait franchi le pas et réussi à se faire embaucher comme brancardier puis comme ambulancier au CHU de Châteauroux. Pour autant, au fil des années, il ne s'était pas retrouvé non plus dans l'état d'esprit et les aspirations de ses collègues. Déjà trois ans qu'il avait essayé de s'accoutumer à ce mode de vie. Mais rien n'y faisait.

Les filles passaient. L'existence passait. Sans laisser de trace.

Quelque chose de trop profond lui manquait. L'animation du camp lui manquait. Le quotidien de sa tribu lui manquait.

Une part de lui souffrait. Son âme tsigane s'étiolait.

Le double octogone de la façade du CHU de Châteauroux apparaissait au loin dans la nuit. Tchavolo s'alluma une clope, ouvrit sa fenêtre en grand et écrasa à nouveau l'accélérateur.

---

[1] *Gadjo : terme emprunté au peuple rom et désignant, à l'origine, une personne « non tsigane »*

Mercredi 4 décembre 2019

Les choses s'étaient accélérées pour Josef. Le nouveau médecin que le centre de rééducation lui avait attribué avait rapidement estimé que ses progrès étaient suffisants pour permettre sa sortie. Histoire de contredire l'avis médical de son prédécesseur, un jeune interne qui, dans son esprit, ne pouvait être que mal dégrossi et de faible discernement.

Ce jour-là, il annonça à son patient que sa présence dans l'établissement ne se justifiait plus et que la chambre devait être évacuée pour le lundi suivant.

Un peu plus tard, de retour au calme dans son lit, Josef se résolut à appeler sa petite-fille. Il trouvait que cette décision médicale était prématurée et trop soudaine à son goût. Certes, les séances de kiné avaient fait merveille et le vieil homme avait récupéré assez de mobilité et de force dans les bras pour pousser les roues de son fauteuil. Mais elles n'avaient pas reconstruit sa confiance en lui, ni effacé ses peurs d'un nouvel accident. Se sentir entouré d'infirmiers et de médecins le rassérénait et quitter cet univers sécurisé l'inquiétait. Toutefois, on ne lui laissait clairement pas le choix...

Comme d'habitude, sa conversation téléphonique avec Audrey fut brève et désagréable. Il l'invita fermement à trouver au plus vite une place dans une maison de retraite en la rassurant sur le fait que ses économies en couvriraient largement le coût. Il lui sembla qu'elle entendit ses arguments.

*****

À force de ruminer son aigreur de grosse femme entraînée dans la beaufitude par des années de paresse intellectuelle et de manque de volonté, Audrey avait eu un sursaut d'énergie pour prendre les choses en main. Son but était simple : conserver le maigre héritage du grand-père sur lequel elle avait des vues, en lui évitant les frais d'un établissement pour personnes âgées dépendantes.

Le soir même, elle s'arrangea pour obtenir un arrêt maladie d'une semaine de la part du médecin de son village. Un ivrogne de la Faculté des Sciences de Bucarest assez fou pour venir s'enterrer dans un tel trou perdu et qui, à l'occasion, soignait également le bétail des environs.

Samedi 7 décembre 2019

Après les avoir récupérés chez leur mère, j'emmenai mes enfants manger un kebab au pied de l'immeuble dans lequel j'habitais. C'était devenu la traditionnelle introduction de mon week-end de garde.

Je préférais ça à un fast-food américain. Cette sous-culture consumériste et « marketisée » provenant des États-Unis me semblait déjà bien assez envahir notre quotidien pour ne pas l'inviter, en outre, dans nos assiettes. Mes deux ados baignaient en plein dans cette génération gavée à la publicité et aux jeux vidéo. Une engeance qui me paraissait vouée globalement, mais inexorablement, à sombrer dans la vacuité et l'ignorance. Les anglicismes utilisés à tout bout de champ, les jugements manichéens dignes des mauvaises séries télévisées américaines qu'ils regardaient, la foi irréfléchie dans ce qui sortait du premier réseau social ou du premier « youtubeur » venu me déconcertaient en général et m'attristaient, en particulier, pour mes enfants. Ils ne me considéraient même pas comme un vieux réac', ne sachant pas ce que cela signifiait et se foutant, de toute façon, éperdument de l'environnement politique, sociétal ou spirituel de la vie réelle. J'étais leur père ; ils m'attachaient de l'affection par habitude. Mais je restais, malgré tout à leurs yeux, un extraterrestre préhistorique.

Je dois bien avouer que l'entrée de mes gamins dans cette adolescence dont je ne comprenais pas les motivations avait sûrement participé à cette quête saugrenue de sensations et d'objets du passé. Comme si, de mon côté, je cherchais un refuge dans ce qui me paraissait avoir de la valeur.

Après ce repas où nous discutâmes de tout et de rien, ils retournèrent à leurs écrans et moi à mon travail.

Je me demandai alors ce qu'aurait été mon enfance si j'avais eu, comme eux, internet et les réseaux sociaux. Comment aurais-je vécu la froideur de mes parents et l'absence de distractions ? À voir mes deux garçons chercher l'isolement chacun de son côté, je pensai que je me serais à peine rendu compte des carences affectives de mes géniteurs. J'aurais été probablement plus heureux. Mais, de fait, ma curiosité et ma sensibilité n'auraient sûrement pas acquis la même finesse. Et la musique classique me serait totalement étrangère.

Par ailleurs, à y réfléchir, je ne suis pas doué moi-même pour les élans primesautiers, le jeu et la spontanéité. Un vieux barbon comme moi n'aurait pas su les occuper aussi bien que leurs tablettes. Sans compter que la médiocrité intellectuelle de leur jeune âge aurait rapidement fini par m'agacer.

*****

Esther s'était assise au bout du bar du « Café des sportifs ».

Elle n'avait pas un sou en poche mais le patron l'aimait bien et lui offrit un demi. Esther en fut touchée. Enfin un de ses proches qui ne lui tournait pas le dos. Cela la rassurait un peu sur le genre humain.

Depuis qu'elle s'était fait éjecter de son appartement, Esther avait trouvé un hébergement provisoire chez Rémy. Mais elle sentait bien que sa présence dans le meublé de son ami devenait chaque jour plus problématique et non souhaitée. Il fallait qu'elle déniche une autre solution et vite.

La majorité de ses copains et de ses anciens collègues avait compati sur l'instant à ses malheurs. À grand renfort de postures outrées, de mines déconfites ou de phrases vides de sens et censées apporter du réconfort. Mais, aucun d'entre eux n'avait cherché à la recontacter ou à la conseiller sur un bon plan pour dégoter un boulot et un logement. Tout entourée qu'elle avait pu être avant, Esther se retrouvait aujourd'hui seule dans sa merde.

Son avant-dernier ex-petit ami franchit la porte du troquet, la vit et vint vers elle. Leur rupture décidée d'un commun accord les avait préservés du fiel de la séparation et avait conservé intacte leur camaraderie d'avant leur liaison.

« Salut Esther ! Alors tu en es où ? demanda-t-il benoîtement.

— Ben nulle part, Anthony... J'ai perdu mon boulot et mon appart'. »

Elle lui résuma ses dernières mésaventures.

Comme d'autres avant lui, le jeune homme s'exclama, s'offusqua, s'empourpra, tempêta et distilla des paroles consolatrices.

Puis, il ajouta, sans y croire vraiment :

« Je sais pas si je t'ai déjà parlé de mon oncle. Il est boulanger et maire de Creissels, un petit village dans l'Aveyron. Le viaduc de Millaut passe en partie sur sa commune et la mairie reçoit plein de pognon grâce à ça. Il veut l'utiliser pour payer un employé communal qualifié qui ferait de l'aide à domicile pour les vieux du village mais personne ne veut venir s'enterrer dans son trou... Tu serais sûrement prise là-bas avec ta maîtrise de psycho. Je te laisse son numéro de téléphone si tu veux... C'est peut-être un bon plan pour rebondir. »

Lundi 9 décembre 2019

Ce jour-là, Audrey sortit son grand-père du centre de rééducation et le chargea, avec son fauteuil roulant, dans la camionnette de son compagnon.

« Tu t'es bien débrouillée pour trouver aussi vite une place en maison de retraite. Tu m'as dit qu'elle s'appelle comment déjà ? » demanda Josef, une fois installé à bord.

Audrey rit grassement.

« Je t'ai enfumé, Josef ! Y a pas de maison de retraite ! Je t'ai déjà dit que ça va coûter trop cher. Je te ramène chez toi. Moi et Kevin, on a fait de la place pour ton fauteuil roulant. Tu vas voir ! »

Dès le jeudi précédent, elle était allée dans la maison du vieil homme avec son compagnon. Bien décidée à y créer des aménagements pour permettre au fauteuil roulant du grand-père de circuler sans gêne. Et, hélas, cette stratégie n'avait fait preuve d'aucune subtilité particulière : « agrandir le passage » à grands coups de masse dans les meubles et les cloisons. Ces opérations de transformation intérieure, bâclées en moins de deux heures de tohu-bohu, avaient abouti au massacre de la petite longère. Le gros des gravats avait été ramassé à la va-vite et ils étaient repartis de là en laissant derrière eux une bicoque qui semblait avoir subi l'explosion d'une grenade à fragmentation couplée à la charge d'une harde de sangliers furieux.

Josef ne savait pas trop quoi penser de ce revirement de situation.

Évidemment, l'idée de se retrouver au milieu de vieillards grabataires, loin de sa maison et de ce qui le rattachait au souvenir de sa femme, le contrariait. Mais il avait conscience que la vie en autonomie était devenue de plus en plus compliquée, même avant son accident et son infirmité. Bien que d'un naturel optimiste, Josef ne voyait pas comment il allait parvenir à s'en sortir seul dans cet état-là.

Et surtout, Audrey ne lui avait pas demandé son avis. Comme si son grand âge et son handicap avaient pu autoriser cette incapable à décider du cours de son existence pour s'assurer d'un héritage trop lent à venir.

Josef se tut. Blessé. En colère contre sa petite-fille et sa cupidité. Surtout inquiet pour les jours à venir.

*****

Seule dans le modeste meublé de Rémy qui était encore au boulot, Esther rassemblait le peu de vêtements qu'elle avait pu sauver de l'évacuation forcée de son appartement et les fourrait dans un baluchon ventru.

C'était décidé : elle partait pour l'Aveyron.

La jeune femme y avait intensément réfléchi tout le week-end, pendant que l'ami qui la logeait avait fui en escapade amoureuse avec son dernier petit copain. À grand renfort de blogs et de tirages divinatoires consultés sur internet, son travail d'introspection avait abouti à la conclusion qu'elle n'avait rien à gagner à rester au Mans. Ses espoirs de carrière professionnelle brillante dans les ressources humaines étaient morts avec son renvoi de chez American Tech Ltd. Autant faire table rase du passé et tracer sa route. Vers n'importe où, du moment qu'on daignait l'y laisser exercer un quelconque métier. Car, avec son diplôme de psycho qui ne valait pas tripette sur le marché de l'emploi, Esther ne pouvait pas se permettre d'être particulièrement sélective dans ses choix.

Par ailleurs, rien ne la retenait sur la région mancelle. Après son licenciement, sa vie personnelle et sentimentale était devenue aussi trépidante qu'un encéphalogramme plat.

Enfin, au rythme auquel se détériorait son compte bancaire, elle n'avait plus que quelques jours avant de finir par dormir sur un carton sous un pont de la Sarthe. Et tant qu'à se retrouver SDF, elle préférait encore que ce soit sous le soleil du sud de la France.

Elle avait téléphoné le matin même à l'oncle d'Anthony, maire du village de Creissels. En lui annonçant qu'elle appelait de la part de son neveu et qu'elle postulait pour assurer l'aide à domicile des personnes âgées de son patelin, Esther crut que l'élu allait faire une syncope derrière son combiné. Impressionné par l'expérience professionnelle et les diplômes qu'elle énuméra, le maire lui dit qu'elle pouvait venir dès que possible, qu'elle aurait un logement et un véhicule de fonction et que ses frais d'emménagement seraient avancés par la commune. Esther lui promit d'arriver pour la fin de semaine au plus tard puis raccrocha avec un sourire aussi radieux que celui de l'oncle d'Anthony, à l'autre bout du fil.

Sur la table de la cuisine, elle laissa un petit mot de remerciement à son ami Rémy. Puis elle attrapa son grand baluchon et claqua la porte de l'appartement derrière elle. Esther avait le cœur gonflé de certitudes et descendit l'escalier de l'immeuble fièrement, sûre de son choix et de la direction qu'elle donnait à sa vie.

*****

Le soleil venait de se coucher sur Châteauroux et Tchavalo prenait son service au CHU.

Assis seul dans la salle de pause des personnels, il attendait que son prédécesseur remonte du parking lui apporter les clés de l'ambulance. Une télévision murale diffusait les images d'une chaîne d'info en continu. On y annonçait la tempête Iris, un monstre météorologique et son cortège de précipitations dantesques en approche de la côte atlantique.

Deux internes entrèrent dans la pièce en s'esclaffant. Tchavolo leva innocemment les yeux sur eux. Mais la simple intensité de son regard sombre et charbonneux, associée à la dureté de son visage buriné et à la densité de sa masse corporelle de lutteur turc, les refroidit d'un coup. Ils échangèrent quelques mots beaucoup plus bas puis finirent par ressortir discrètement de la salle. Tchavolo soupira.

Il avait beau rester prudent, silencieux et effacé, rien n'y faisait. Il foutait la trouille aux gadjos. Quoi qu'il arrive... Un plafond de verre infranchissable le séparait de la vie des sédentaires à laquelle il avait pu aspirer. Le jeune homme ne s'était évidemment pas senti à sa place en faisant son trou dans cet univers étranger. Mais, avec le temps, il s'était dit que les lignes finiraient par bouger un peu. Hélas, cela n'avait jamais eu lieu et Tchavolo s'en désespérait.

Son collègue Sylvain remonta enfin du parking souterrain et lui tendit les clés de l'ambulance. Ils échangèrent quelques paroles sans intérêt et se saluèrent.

Tchavolo jeta un dernier coup d'œil à la télévision. Les prévisions météo dessinaient une grosse volute écarlate sur la campagne des alentours de Châteauroux.

« Quand c'est rouge, c'est mauvais signe... » se dit-il.

Puis, accompagné de sa solitude de déraciné, il descendit l'escalier de service en direction de son outil de travail.

*****

Audrey était repartie depuis une bonne heure et Josef n'avait, dès lors, cessé de fulminer.

« Mais, comment a-t-elle pu ? Ce ne sont pas des façons de faire ! Oh la la ! Le boulot... Elle est bien aussi tocarde que son connard de copain ! J'te jure ! »

La maison du vieil homme était dévastée. Effectivement, son fauteuil roulant pouvait passer d'une pièce à l'autre sans difficulté. Mais à quel prix ! Entre les cloisons à moitié abattues et les meubles amputés à la hache, Josef se demandait s'il ne se retrouvait pas subitement projeté soixante-quinze ans en arrière. En plein bombardement allié de la fin de la Seconde Guerre mondiale.

La colère lui permettait, pour l'instant, de ne pas trop s'appesantir sur sa tristesse. Car c'était bien de cela qu'il s'agissait. Sa petite bicoque défigurée avait désormais du mal à réveiller en lui les souvenirs de sa vie d'avant. Plus rien ne ressemblait à Lucienne. Des larmes coulèrent sur les joues de Josef.

Le vieillard finit par caler son fauteuil roulant dans un recoin sombre et pas trop amoché du salon. Puis il s'endormit.

*****

Vers vingt-deux heures, mon téléphone vibra. J'étais en train de fignoler gentiment une maquette navale sur laquelle j'œuvrais depuis plusieurs mois et qui était devenue, au fil du temps, une merveille de patience, de précision et de déshumanisation.

Pris d'un élan qui ne m'était pas coutumier, je décrochai.

« Allo ?

— Roland ? C'est Josef. Josef Apelkir. Le vieux avec ses disques.

— Oui, Josef. Je me souviens très bien de toi. Tout va bien ?

— Non.

— Ah ?

— On peut se voir demain pour les vinyles.

— Tu es revenu chez toi ? C'est une excellente nouvelle !

— Non.

— Ah ?

— J'ai besoin de parler avec quelqu'un de civilisé. Tu peux venir demain ? »

La voix de Josef n'était pas très différente de celle que j'avais entendue au centre de rééducation. Mais, cette fois, il me sembla y percevoir une pointe de détresse. Et puis, à une heure si tardive, je n'avais plus assez de force pour renâcler.

« Bien sûr, Josef ! Mais en milieu d'après-midi. Je ne peux pas avant.

— Ça me va ! Merci, Roland ! Je t'envoie mon adresse par téléphone. À demain ! »

Puis, il raccrocha brutalement. Josef partageait au moins avec sa petite-fille cette façon lapidaire de mettre fin à une conversation téléphonique.

Mardi 10 décembre 2019

Sur les coups de midi, Tchavolo émergea d'un mauvais sommeil. De violentes bourrasques faisaient trembler les volets de son studio.

Il s'extirpa de son lit, se prépara une omelette puis alluma la télévision en se vautrant dans son canapé. Pendant quelques minutes, il zappa d'un jeu bruyant à un talk-show lénifiant, en passant par une série américaine qui se voulait comique, puis s'arrêta sur une chaîne d'informations en continu.

Le jeune homme ne savait pas trop quoi penser de l'actualité.

Les grèves et les marches de protestation contre la réforme des retraites le laissaient froid. De toute façon, il n'imaginait même pas vivre assez vieux pour avoir le loisir d'espérer toucher une pension.

Et, avant ça, le mouvement des gilets jaunes lui avait inspiré beaucoup plus de méfiance que de sympathie. Dans le cadre de l'exercice de son métier d'ambulancier, Tchavolo avait ramassé quelques-uns de ces bougres pendant les manifestations, tantôt matraqués par quelques CRS chauffés à blanc, tantôt aveuglés par des gaz lacrymogènes ou des balles en caoutchouc. Souvent, l'ambiance générale était la même : derrière les slogans anticapitalistes et antibourgeois, fusait insidieusement la haine des étrangers, des juifs, des homosexuels et des femmes libérées. Il s'agissait de cette acrimonie populaire ordinaire qui avait, de tout temps, également été le moteur des pogroms et des persécutions de Tsiganes. Qui faisait que des gilets jaunes l'avaient fréquemment insulté de « sale Rom » alors qu'il s'escrimait à porter secours à l'un des leurs.

Pour ce qui était de l'actualité internationale, des atermoiements britanniques aux provocations américano-coréennes, des leçons de morale suédoises aux massacres syriens, Tchavolo en ignorait tous les tenants et les aboutissants. Il savait que ses connaissances en histoire, en politique ou en économie étaient trop limitées pour lui permettre de juger de ces choses avec justesse. Ses années chaotiques dans différents collèges de la région ne lui avaient pas donné les clés suffisantes pour décrypter un tel bazar. Il se contentait d'observer ces événements à la télévision comme on assiste à un spectacle.

Le jeune homme finit par éteindre l'écran et s'approcha de la fenêtre. Le ciel avait la couleur du plomb. De brusques rafales tordaient les platanes bordant l'avenue et de rares oiseaux filaient dans les airs comme des carreaux d'arbalète. Comme les pensées de Tchavolo.

Il se sentait seul. Perdu dans cette vie qu'il s'était construite, mais qui ne lui convenait pas. Rien dans cet univers ne parvenait à le fixer, à l'enraciner. À donner le sens qu'il en avait attendu.

*****

Esther manquait de pratique dans l'art de l'auto-stop.

La veille, elle avait peiné à trouver une voiture en direction du sud. Et sa meilleure touche avait été un couple de Hollandais en camping-car qui l'avait déposée à un hôtel bas de gamme de Chambray-lès-Tours en début de soirée.

Après une nuit agitée, la jeune femme reprit son baluchon et se remit en marche. Elle longea une grande artère routière pendant un bon moment. Elle suivait la direction du soleil en luttant contre les rafales. Mais, à force de lever son pouce et de sourire à chaque véhicule qui la dépassait, Esther finit par arrêter un camion. Le chauffeur venait de Cherbourg et descendait à Barcelone livrer une cargaison de matériels nautiques en passant par Limoges et Toulouse. Un itinéraire qui rapprochait la jeune femme de l'Aveyron. Elle gravit le marchepied de la cabine et s'installa sur le siège passager.

Esther discuta une petite demi-heure avec le conducteur. Le type avait une cinquantaine d'années, une coupe « mulet » approximative et pas mal d'anecdotes sans intérêt à raconter. Puis, bercée par le tangage du semi-remorque, elle finit par s'endormir.

Une sensation désagréable la réveilla. Celle d'une pesanteur qui l'étouffait et l'entravait.

Le camion ne roulait plus. Le bruit d'une respiration haletante avait remplacé le ronronnement du moteur.

Esther ouvrit les yeux sur le torse poilu du chauffeur plaqué contre son visage. L'homme était nu. Debout dans la cabine du poids lourd et affalé sur sa proie, il essayait de maintenir la jeune femme contre son siège tout en s'escrimant à lui retirer son pantalon d'une main. Elle se mit à crier et à arquer son dos et son bassin afin de se dégager de l'étreinte. Mais son assaillant faisait le poids d'un cheval mort.

L'homme réussit à faire descendre le haut du jean d'Esther. Toutefois, empressé de guider sa verge vers son objectif, il relâcha sa pression sur le buste de sa victime qui parvint enfin à reprendre sa respiration et à voir ce qui se passait.

Le camion était arrêté en rase campagne, à la lisière d'une forêt.

Dans un accès de rage, Esther donna de grandes ruades et mordit un téton de son agresseur jusqu'au sang.

Le chauffeur hurla de douleur et se dégagea en se redressant brusquement. La jeune femme se retrouva alors face aux parties génitales de son assaillant. Hors d'elle, Esther déchira à nouveau à pleines dents et de toutes ses forces ce qui se trouvait devant elle. Le sexe turgescent imprudemment exposé fut lacéré.

Cette fois, le violeur se recroquevilla derrière le volant, comme la bête blessée qu'il était.

Libérée de toute entrave, la jeune femme profita de cette seconde de répit pour remonter son pantalon, ouvrir la portière et se jeter hors de la cabine. Elle chuta dans une terre glaise, molle et détrempée puis courut à perdre haleine, droit devant elle, à travers une prairie humide et désertique que balayait un vent violent.

*****

Installé depuis quelques années comme ingénieur-géologue libéral, je suis parvenu à devenir expert judiciaire dans ma discipline technique, pour la cour d'appel de Caen. Cette activité représente une part anecdotique de mon chiffre d'affaires mais s'avère, tout à la fois, chronophage et intellectuellement stimulante.

Ce jour-là, j'avais convoqué de longue date une réunion d'expertise sur Lisieux qui devait se tenir de bonne heure. La confrontation avait été houleuse. Je ne pus prendre la route qu'en fin de matinée pour aller voir Josef et cette escapade fut la bienvenue.

L'affaire concernait le milieu hippique. Une sombre histoire de pur-sang retrouvé mort au fond d'une marnière[2] qui se serait ouverte et effondrée sous son poids, au beau milieu d'un paddock. Comme souvent en de pareils cas, les assurances s'étaient défaussées des deux côtés et le propriétaire du cheval attaquait le patron de l'écurie pour négligence.

Beaucoup d'argent était en jeu. Le ton était vite monté au cours de la réunion. L'un promettait à l'autre de l'empaler avec sa fourche tandis

---

[2] *Les marnières sont des carrières souterraines d'extraction de la craie utilisée dans les siècles passés pour amender les champs. Beaucoup d'entre elles datent du XIXe siècle. Elles ont été abandonnées et rebouchées au cours du XXe siècle. Leur localisation précise a aujourd'hui été oubliée. Régulièrement, certaines de ces marnières s'effondrent brusquement sur elles-mêmes en provoquant des cratères remontant à la surface, de plusieurs dizaines de mètres de profondeur. Le nombre de ces marnières « oubliées » s'élève à plusieurs centaines en Normandie.*

que cet autre menaçait son contradicteur de l'écraser avec son gros tout-terrain. Le conflit de la ville et de la campagne. Du monde paysan normand et de la bourgeoisie friquée parisienne. Pendant deux heures, j'avais été l'arbitre coincé entre le marteau et l'enclume d'un différend qui, finalement, dépassait de loin ma seule compétence de géologue. C'est, là, tout le subtil charme du système judiciaire civil français.

Je franchis Châtillon-sur-Indre et m'enfonçai dans les terres humides de la Brenne en début d'après-midi.

Au fur et à mesure des kilomètres avalés, le vent n'avait cessé de forcir. Sur cette contrée désespérément plate et inondée de lacs et de marais, il me sembla que les rafales pouvaient prendre leur élan et déployer toute leur fureur. Roulant prudemment sur la petite départementale qui m'emmenait à Marnoux, où habitait Josef, je voyais parfois dans le lointain un bosquet de peupliers s'arquer au point de rompre sous la violence des bourrasques. De temps à autre, un gros nuage noir se vidait d'un coup sur cette lande déjà bien trop humide à mon goût.

Au bout de trois quarts d'heure et quelques fourvoiements malencontreux, je parvins enfin à gagner la maison de Josef.

C'était une bâtisse traditionnelle, basse, allongée et couverte de tuiles marron rougeâtre. Elle était complètement isolée, au beau milieu de lacs qu'elle dominait du haut du terre-plein sur laquelle on l'avait construite. Quelques arbres fortement chahutés par le vent l'enserraient. Tout autour s'étalait une végétation morne et grisâtre et de glauques étendues d'eau que les rafales ridaient.

*****

Ce jour-là, Tchavolo avait repris son travail plus tôt qu'à l'accoutumée. Le CHU de Châteauroux l'avait appelé à la rescousse : une épidémie de gastro-entérite décimait le service des urgences en même temps que les derniers bulletins météorologiques laissaient prévoir la survenue d'un important lot de victimes à secourir sur la région. La tempête Iris se déchaînait sur la côte vendéenne et les départements proches étaient désormais placés en alerte rouge pour vent et inondation.

Il salua le brancardier qui venait de l'aider à installer un blessé de la route plongé dans un coma artificiel à l'arrière de son ambulance. Tchavolo grimpa seul dans le véhicule pour emmener le malade au CHU de Tours. Depuis des années, les baisses d'effectif successives et irraisonnées dans les hôpitaux publics empêchaient de remplacer à leurs postes tous ceux que les épidémies virales clouaient chez eux, au lit ou sur les toilettes.

Sans infirmier à ses côtés, il prit donc la route vers le nouveau scanner ultrapuissant tourangeau. Au bout de quelques minutes, s'enquillant dans la départementale à fond les manettes et sirène hurlante, le jeune homme alluma une clope en fredonnant une mélodie manouche douce et mélancolique. Comme une berceuse que l'on chante à un enfant malade. Ou comme un air d'adieu pour accompagner le corbillard et son cercueil.

Au-dehors, vers l'ouest, le ciel avait une couleur gris anthracite et semblait ne faire plus qu'un avec l'horizon. Le fort de la tempête se rapprochait. Tchavolo le sentait au fond de lui. Il écrasa instinctivement un peu plus l'accélérateur pour y échapper.

*****

Josef me fit découvrir sa maison d'une voix dont le ton n'était ni enjoué ni lugubre. Entre ses mots, je compris rapidement ce qui s'était passé. Pourtant, il n'en parlait pas vraiment. Pas ouvertement, en tout cas. Comme si cela ne parvenait pas à sortir de lui.

Je me lançai et risquai une saillie à l'emporte-pièce :

« Ta maison ressemble à Beyrouth en 2006 et je suppose que le deuxième prénom de ta petite-fille est Tsahal... »

Le vieil homme sourit et poussa un profond soupir en me regardant au fond des yeux.

« Ah putain, Roland ! Si tu savais... Je suis fou de rage. »

Josef lâchait enfin prise.

« Je suis navré de l'état de cette maison, c'est une chose... Mais, surtout, je ne comprends pas comment Audrey a pu faire ça à sa grand-mère. Même si elle n'est plus là pour voir ça, elle avait placé toute son énergie et toute son âme dans ces murs, dans ce jardin. Audrey le savait ! Massacrer ces lieux, c'est la tuer une seconde fois... asséna-t-il avec des larmes dans la voix.

— Je comprends, Josef », me sentis-je obligé d'ajouter, alors que c'était faux. J'en avais, tout au plus, une vague idée. Le sentiment amoureux ne m'était pas naturel.

Puis, à grandes brassées sur les roues de son fauteuil roulant, il s'élança rageusement dans un couloir sombre.

« Bon ! Allez, viens ! On n'est pas là pour se morfondre sur mon existence de vieux con. Viens voir mes disques ! Après tout, tu es là pour ça... »

Je le suivis en direction d'une grande pièce aménagée en salon-bibliothèque, pas complètement persuadé de la véracité de sa dernière phrase.

*****

Esther marchait depuis au moins une heure ou deux à travers des roselières profondes et des sous-bois inondés.

Au début, elle avait couru comme une forcenée. Comme un animal traqué. Sans se retourner.

Puis, quand la panique et le sentiment de danger avaient fini par disparaître, la jeune femme s'était arrêtée quelques minutes de décamper pour faire le point.

Naturellement, elle avait suivi la direction du vent qui avait forci à mesure que sa fuite en avant l'avait entraînée de plus en plus profondément au sein du parc des étangs de la Brenne. Depuis son échappée, elle n'avait croisé aucune route, rencontré aucun promeneur, perçu aucun signe de civilisation autour d'elle. Et, désormais, Esther devait se rendre à l'évidence : elle était complètement perdue au milieu de marécages hostiles et d'une tempête qui prenait de plus en plus des allures d'ouragan.

La jeune femme visa une petite levée de terre située quelques centaines de mètres devant elle, mais qu'elle mit plus d'une demi-heure à atteindre. Sur un sol boueux et mou qui collait aux pas avec un épouvantable bruit de succion, la marche devenait très lente. Et d'autant plus exténuante que les puissantes bourrasques, qui la poussaient dans le dos, la déséquilibraient sans cesse.

Parvenue au sommet du tertre, Esther jeta un coup d'œil plein d'espoir sur l'horizon. Elle fut vite déçue. Les lacs et les marais s'étendaient à perte de vue. Aucun village au loin. Aucune route proche. La jeune femme était isolée, transie, trempée d'eau vaseuse, sans échappatoire.

Avec le soleil déclinant, elle se mit à frissonner en pensant que sa fin n'était peut-être plus très loin. Pouvait-elle survivre ici cette nuit, en plein vent et en plein froid ? Esther en doutait et se prit à regretter tout ce qu'elle avait entrepris jusqu'alors. Partir travailler au Mans. Se fâcher à mort avec ses parents. Décider de tout recommencer en Aveyron. Y aller en auto-stop. Des larmes perlèrent sur ses joues, aussitôt pulvérisées et séchées par un vent déchaîné.

Soudain, Esther crut apercevoir furtivement le toit d'une bicoque entre deux gros cèdres sombres qui tremblaient dans la tempête.

Elle s'élança vers le bas du tertre. Mais la fatigue, l'empressement et une rafale plus forte que les autres la firent chuter au pied du monticule. Sa tête heurta une souche d'arbre. La jeune femme s'affala évanouie dans la fange limoneuse d'une mare grouillante d'invertébrés.

*****

La collection de vinyles de Josef était vraiment très impressionnante. Que des grands maîtres ! Yehudi Menuhin, Sergiu Celibidache, Maurizio Pollini, Andras Schiff, Glenn Gould... Des choix éclectiques et éclairés.

« La musique classique, c'est la passion de ma vie... » soupira-t-il.

Je saisis une pochette Deutsche Grammophon, reconnaissable à sa lisière jaune. Trios pour piano de Beethoven avec Pinchas Zukerman, Daniel Barenboim et Jacqueline Dupré.

Josef me jeta un coup d'œil.

« Ah, qu'ils étaient beaux et doués ! La mafia musicale juive, comme ils s'appelaient eux-mêmes... Pauvre Jacqueline... J'espère qu'elle joue à la droite de Dieu en attendant que son Daniel l'y rejoigne... » lança-t-il.

Je ne pus m'empêcher de songer qu'à cet instant Josef pensait à sa femme. Je lui rendis son regard en souriant.

Puis je m'emparai d'une autre pochette cartonnée. Il s'agissait du concerto pour violon de Brahms interprété par Isaac Stern.

« Et celui-là ? Y reconnaît-on bien le Vicomte de Panette ? demandai-je.

— Et comment ! J'ai toujours estimé que les Garnerius surpassaient les Stradivarius ! »

Et nous discutâmes ainsi longtemps.

« Mais pourquoi veux-tu te séparer de tous ces disques ? finis-je par l'interroger.

— Je n'ai plus envie de les écouter, me répondit-il. C'était mon épouse Lucienne qui m'avait fait découvrir la musique classique. Elle était plutôt opéra que musique instrumentale. »

Sa voix s'épaissit alors.

« Maintenant qu'elle n'est plus là, cela me rend triste d'écouter ces disques. Son souvenir est en chacun d'eux et Lucienne me manque trop pour ressortir indemne de ces plongées dans le passé... »

Josef m'expliqua que sa femme et lui avaient eu un accident de voiture un an auparavant. Elle avait été tuée sur le coup tandis que lui avait eu un léger traumatisme de la moelle épinière. Il avait survécu normalement pendant six mois puis, à l'occasion d'une chute idiote dans sa salle de bains, ces lésions s'étaient rouvertes et aggravées au point de l'amener à une paralysie quasi totale des membres.

J'essayais d'imaginer ce que ressentait Josef. Mais l'exercice était malaisé. Je n'avais encore rien vécu d'aussi dramatique. Ce type de souffrance ne ressemble en rien aux difficultés que nos générations post-industrielles ont eu à affronter. La guerre, la maladie incurable et fatale, la disparition brutale et sans appel ne font plus partie du quotidien ordinaire de notre civilisation occidentale européenne. Nous ne sommes plus habitués à côtoyer la mort comme par le passé.

Soudain, des coups résonnèrent à l'autre bout de la maison. Comme si l'on frappait à une porte. Mais, entre les volets qui tremblaient sur leurs gonds, les tuiles que le vent faisait siffler et les branches des arbres qui rompaient dans les bourrasques, Josef n'y prêta pas attention. Il se contenta de s'inquiéter de la météo qui se dégradait à vue d'œil.

« Tu sais, Roland, tu devrais rentrer... Le temps est de plus en plus mauvais et, avec la nuit, la route va devenir dangereuse. »

La porte d'entrée s'ouvrit, alors, dans un fracas venteux.

Tandis que Josef négociait difficilement une délicate manœuvre de demi-tour de son fauteuil roulant au milieu du capharnaüm de disques étalés dans le salon, je me précipitai dans le couloir pour voir de quoi il en retournait.

Une silhouette vaguement féminine se dressait dans l'encadrement de l'huis béant. Se découpant sur un menaçant firmament couleur bleu de Prusse, sa chevelure rougeoyante en bataille avait une allure hydriforme qui m'arrêta net dans mon élan. Derrière elle, de puissantes bourrasques soulevaient des trombes de terre mêlée de pluie. Un éclair zébra le ciel juste au-dessus de la maison, jetant une lumière surnaturelle autour de cette improbable gorgone.

Passé l'effet de surprise nourri par mon imagination trop fertile, je m'aperçus que la créature démoniaque qui se tenait devant moi faisait au maximum une cinquantaine de kilos tout mouillés. Il s'agissait d'une jeune femme en détresse. Ruisselante de boue et de larmes. Couverte d'écorchures et de vêtements déchirés. En même temps que Josef déboula enfin dans l'entrée sur ses roues, elle s'affaissa de tout son long dans mes bras. Évanouie.

« Et bien, Roland ! Quel succès avec les femmes ! » lança le paraplégique d'un air guilleret.

*****

Tchavolo venait de livrer son comateux au CHU de Tours et s'apprêtait à tracer la route du retour sans perdre un instant. La tempête Iris couvrait maintenant presque entièrement l'horizon et prenait une tournure qui lui déplaisait franchement.

Le jeune homme avait gardé des souvenirs très précis de l'ouragan Lothar qui avait ravagé le nord de la France, le 26 décembre 1999.

La couleur obscure et métallique qu'avait revêtue le ciel.

L'inquiétante lourdeur des nuages.

Les hurlements stridents et acérés du vent.

Les caravanes du camp avaient été ballottées, traînées, retournées comme des fétus de paille par les accès de fureur de Lothar.

Ce jour-là, Tchavolo avait cru que la tempête l'engloutirait avec ses parents. Une chèvre avait été décapitée net sous ses yeux par une tôle ondulée emportée par une bourrasque. Il n'avait que sept ans, mais ce genre de souvenir ne s'oublie pas.

Tchavolo remonta la route départementale vers Châteauroux, pied au plancher et sirène hurlante. Il fuyait le mauvais temps autant que ses peurs d'enfant.

*****

Aussitôt passé ce bref moment hallucinatoire dans l'entrée de la maison de Josef, je repris mes esprits et traînai l'inconnue évanouie jusque sur le canapé du salon.

« Elle est couverte de vase et de lentilles d'eau. Cette fille sort tout droit des marais. Qu'est-ce qu'elle faisait là-dedans par un temps pareil ? me fit-il remarquer, en observant de plus près la jeune femme.

En plus, elle a plein d'écorchures sur les bras... Ça pourrait s'infecter si elle a traîné ça dans les marigots du coin... »

Je partageais les observations et le raisonnement de Josef.

« Bon ! Faut que je l'emmène chez un médecin. Où se trouve le plus proche d'ici ? lui demandai-je.

— À Mézières-en-Brenne. Près de l'église. C'est à dix minutes. »

— J'y vais. ! Avec mon GPS, j'arriverai bien à trouver ce toubib. Reste près d'elle, j'approche la voiture. »

J'ouvris la porte d'entrée de la maison et m'apprêtai à pénétrer dans la pluie tourbillonnante lorsqu'un coup de vent plus puissant que les autres se leva brusquement. Son souffle me projeta vers l'intérieur de la masure et coucha le sapin qui se dressait devant moi, si fort que son tronc éclata d'un coup à sa base. L'arbre s'abattit sur ma voiture dans un ample grondement de branches froissées.

Je restai figé un instant. Abasourdi et choqué comme un chiot qui découvre, pour la première fois, une porte vitrée sur sa trajectoire.

Puis, forme probable de résilience car, à quelques secondes près, j'aurais aussi bien pu être écrabouillé dans ma belle automobile, je refermai doucement l'huis comme si rien ne s'était passé et retournai, avec flegme, à côté de Josef et de la jeune évanouie.

« Bon... Ma bagnole est morte... Appelle donc le SAMU. »

*****

Tchavolo roulait plus vite que d'habitude.

Il fumait plus aussi.

Sa mâchoire était crispée. Ses mains serraient le volant à faire blanchir les jointures des phalanges.

Le jeune homme filait devant la tempête comme un voilier fuit à la cape.

Mais il était encore en service pour le restant de la soirée. Son métier exigeait de lui qu'il portât secours aux autres avant de songer à ses propres faiblesses.

Le téléphone retentit dans l'ambulance.

« Tchavo ?

— Je t'entends.

— Tu es de retour de Tours ?

— Oui. À hauteur de Buzançais.

— Femme inconsciente à Marnoux.

— Tu sais que je suis seul à bord ? Je ne suis pas un soignant, moi !

— Tu es le plus proche et on manque de monde, ce soir. Va voir. Si tu as le moindre doute sur son état de santé, tu la ramènes ici. Je t'envoie l'adresse sur ton GPS. »

Et on raccrocha. Sans autre forme de procès. Tempête ou pas tempête.

Tchavolo lâcha un juron manouche entre ses dents et prit le premier embranchement vers les étangs de la Brenne. Il songea à ses parents et à sa sœur restée vivre avec eux. À ceux du camp. Étaient-ils en sécurité ? Mieux à l'abri du gros temps que lui ?

Il composa le numéro de portable de sa cadette mais l'appel échoua.

« Mieldech[3] ! » cracha-t-il à nouveau.

---

[3] *« Merde » en langue gitane*

Le réseau téléphonique venait de disparaître en même temps que son ambulance s'enfonçait dans l'obscurité incertaine, menaçante et agitée des marécages du Berry.

*****

Cette fin de journée sortait franchement de l'idée que je m'en étais faite en quittant le Calvados quelques heures plus tôt.

Un résineux avait eu le bon goût de transformer ma voiture en compression post-moderne.

J'attendais le SAMU dans une maison qui semblait avoir subi le passage d'une division de blindés Panzer, en compagnie d'un vieillard paraplégique et d'une femme inconsciente aux allures d'évadée d'un goulag.

Enfin, le tout avait lieu à la nuit naissante, au milieu des stagnustres, spongieuses et détrempées terres berrichonnes que fouettait une tempête océanique.

En écoutant les rafales s'abattre à intervalles irréguliers sur la frêle bâtisse qui nous abritait, je songeais que la situation avait manifestement dérapé. Mais à quel moment s'était produite la bascule entre le contrôlé et l'incontrôlable ? Y avait-il seulement une charnière unique entre ces deux phases ou était-ce un ensemble de faits liés entre eux, de rapports successifs de cause à effet qui avaient mené à cette conjoncture improbable dont l'issue était désormais plus qu'incertaine ? Pouvais-je mathématiquement décomposer cet instant de vie en une sorte d'algorithme rationnel et donc rassurant ?

« Tu m'as l'air bien songeur, Roland... » me lança Josef.

Je tournai la tête vers lui en restant silencieux. Miroir de pensées froides et sans affect, mon visage était vraisemblablement trop fermé pour inviter à la discussion.

Le vieil homme se pencha vers la jeune femme qu'il venait de recouvrir d'un plaid en laine. Elle commençait à sortir des limbes.

Me détachant du confort de mes réflexions solitaires, je m'approchai d'eux.

Notre inconnue exondée des marais nous dit s'appeler Esther Alvie. Perdue dans le parc de la Brenne depuis le début d'après-midi. Pas de famille ni d'amis à prévenir.

« Bon ! Le SAMU ne devrait plus tarder. Je vous prépare une boisson chaude », proposa Josef.

J'admirai la chaleur et la bienveillance du vieil homme.

*****

Les ombres tremblantes. Le vent déchaîné. La lune tailladée de nuages effilochés passant sur elle comme des coups de sabre. Cette fois, Tchavolo tirait sur ses cigarettes avec une nervosité qu'il ne contenait plus.

Sa mère lui avait souvent répété : « Mon Tchav, tu as le don. Tu vois à travers ce qui semble. Comme ta grand-mère... »

Cette nuit-là, le jeune homme sentait un profond malaise au fond de lui. C'était difficile à expliquer et lui-même en était surpris. Cela ressemblait à un déséquilibre qui s'immisçait dans sa perception des choses à mesure que son ambulance l'entraînait au cœur des marais et de la tempête.

Les yeux écarquillés, la clope écrasée entre les dents et les mains cramponnées au volant, Tchavolo fonçait sans ralentir dans l'obscurité menaçante. Aux ordres des indications du GPS de bord.

Soudain, la lune apparut dans les phares. Reflet dans l'eau d'un lac qui s'était mis à se répandre plus que largement sur la route.

L'ambulance percuta la masse marécageuse à pleine balle, pulvérisant sa calandre et ses vitres avant dans la déflagration du choc. Le véhicule fut arrêté net et Tchavolo propulsé dans l'étang en passant par le parebrise éclaté. La violence du remous liquide souleva l'arrière de la camionnette qui bascula sur le flanc. Les phares s'éteignirent et le moteur cracha sa dernière combustion dans un jet de vapeur.

Tchavolo se redressa abasourdi et dégoulinant de boue. Le vent et la pluie cinglaient son visage. Sans attendre que son regard s'habitue à la noirceur, il pataugea hors des eaux du lac en sautillant, poussant des cris de bête prise au piège.

Puis, il chercha des yeux la maison qu'il était sur le point d'atteindre.

Au loin, telle une balise sur une côte déchiquetée par les vagues, un halo électrique tremblait dans la tempête. Ballotté par les rafales malgré sa corpulence, Tchavolo remonta la route au petit trot en direction de ce scintillement providentiel. Il lui sembla que les eaux du lac continuaient de s'élever et le poursuivaient le long du bitume de la chaussée.

Le jeune homme atteignit une maison isolée dont la lumière du perron gigotait au bout de son câble, comme une lanterne chinoise dans un typhon. Il tambourina à la porte en gueulant.

Celle-ci s'ouvrit sur mon visage ahuri.

2ème mouvement *(Andante)* :

concertos sur des tons majeurs et mineurs

<u>Concerto</u> :   *forme musicale composée
généralement de trois
mouvements, où un ou plusieurs
solistes dialoguent avec un
orchestre.*

Première nuit

Nous étions tous les quatre installés dans le salon.

Tchavolo était les secours attendus pour Esther. Il nous raconta, en quelques mots, son accident survenu à environ deux cents mètres de là.

Josef émit un avis lapidaire et sans appel :

« Ça voudrait dire que l'étang des Vigneaux est en train de déborder. Je n'y crois pas. Ça n'est jamais arrivé depuis que je vis ici... »

Afin d'en avoir le cœur net, j'empruntai une lampe torche au vieil homme pour aller voir sur place avec Tchavolo de quoi il en retournait exactement. Et, dans le cas où l'ambulance n'était pas encore complètement noyée et la contrée totalement inondée, je nourrissais le secret espoir de pouvoir y récupérer des médicaments avant qu'il ne fût trop tard. Esther était toujours pâle et grelottante ; le séjour prolongé de ses griffures dans l'eau croupie des marais me faisait craindre, pour elle, un choc septique ou une quelconque autre cochonnerie parasitaire. Je n'étais pas médecin mais mes vieilles connaissances d'études en biologie et mon expérience de fils et petit-fils de docteurs me laissaient penser qu'une prise d'antibiotiques n'était pas dénuée de sens, dans le cas d'Esther. Je n'avais même aucun doute à ce sujet.

Nous sortîmes dans le gros temps, courbés en deux. Comme si nous entrions dans un lave-vaisselle géant en marche. Le faisceau de la lampe torche peinait à traverser le rideau de pluie qui s'abattait sur nous. Au bout d'une cinquantaine de mètres, notre expédition se heurta à une vaste étendue liquide et noirâtre. Au loin, la rampe des gyrophares d'une ambulance dépassait à peine des flots.

« C'est monté d'au moins un mètre depuis tout à l'heure ! Et j'ai l'impression que ça continue ! » me cria Tchavolo, pour couvrir les hurlements de la tempête.

Mes espoirs de trouver des médicaments pour Esther tombaient à l'eau, au sens propre et figuré. Nous laissâmes alors les rafales d'ouest nous ramener à la maison de Josef.

*****

Josef n'avait pas la télévision mais un ancien poste radio. Une antiquité.

Lorsque je lui expliquai ce que Tchavolo et moi avions vu au cours de notre courte échappée nocturne, il blêmit et rapporta l'appareil du fond de sa chambre à coucher. Le vieil homme se résolvait à accepter l'improbable et ce que lui seul était à même de deviner : l'étang des Vigneaux débordait plus que franchement. Ce qui signifiait que le parc de la Brenne tout entier venait de se transformer en mer intérieure.

Je branchai le poste à une prise. Josef l'alluma et le régla sur une station d'informations en continu.

Nous apprîmes que la tempête Iris était en train de traverser l'ouest de la France en suivant l'axe de la vallée de la Loire. Les dégâts provoqués sur son passage étaient d'ores et déjà considérables. Lignes électriques aplaties, toitures d'immeubles soufflées, plaines inondées. La quantité d'eau déversée en quelques heures par ce monstre météorologique sur les départements liguriens dépassait déjà de loin le volume annuel moyen des précipitations.

Aucun de nous ne broncha.

Bien qu'amoindrie, Esther parût comprendre la situation. Elle rassembla et serra son plaid autour d'elle.

Tchavolo regardait droit devant lui. Visage fermé. Poings crispés. Il me sembla que ses lèvres bougeaient légèrement. Comme s'il chuchotait des mots pour lui-même. Peut-être des prières...

Josef était le plus agité. Je l'observais tout en écoutant le poste radio grésiller ses mauvaises nouvelles et ne m'expliquais pas bien le motif de sa nervosité soudaine. La peur de mourir ? Pourtant, nous n'en étions pas encore rendus là et, par un heureux hasard, le vieil homme paralytique pouvait s'estimer chanceux de n'être pas seul en de telles circonstances. La peur de l'imprévu ? Il m'avait cependant semblé, quelques heures auparavant, s'être plutôt bien adapté à la pagaille que sa petite-fille avait semée dans son existence. La peur d'un châtiment divin ? Je ne connaissais pas très bien Josef mais, jusque-là, je n'avais repéré aucun objet religieux d'aucune sorte dans sa maison.

Quant à moi, les mauvaises nouvelles radiophoniques me laissèrent froid. J'avais déjà compris depuis une heure ou deux que les conditions météorologiques étaient exécrables et donc potentiellement dangereuses. Je me refusais de céder à la panique ou à l'émotion. Les réactions d'Esther et de Tchavolo ne m'étonnèrent guère. Je les considérais comme deux blancs-becs, encore impressionnables et faiblement éprouvés par les affres de la vie. L'attitude de Josef me surprit plus et j'essayais d'en saisir la cause autant que de trouver des solutions pour garantir nos chances de ressortir tous indemnes de ce mauvais coup du sort.

Sûr d'être, dans cette situation critique, le plus à même de prendre les bonnes décisions et de choisir les meilleures options, je lançai, tel un général de division :

« Bon ! Comme nous sommes dans une région marécageuse, nous serons rapidement cernés par l'eau. Si ce n'est déjà fait... Et je pense que nous ne serons pas non plus en tête de liste des gens à secourir... Il faut donc que l'on puisse tenir plusieurs jours isolés dans cette maison. Josef, tu as de la bouffe en réserve ? »

D'un regard surpris, Josef me cueillit au vol et balança :

« Mais Roland... Tu ne crois pas que la maison va prendre l'eau aussi ? Elle n'a pas d'étage. On devrait peut-être s'inquiéter de ça avant de se préoccuper de notre appétit. Mourir noyé le ventre plein ne rendra service à personne ici ! »

Je fus brutalement fauché dans mon élan de chef de troupe autoproclamé.

Le problème n'était pas que je n'avais pas songé à cette éventualité.

Bien sûr que cet aspect avait déjà été passé au crible de mon analyse de la situation. Par déformation professionnelle, j'avais instinctivement conceptualisé, en arrivant ici, le contexte hydrogéologique et topographique de l'espace naturel qui nous entourait. La maison était fondée sur une surélévation artificielle qui dominait très nettement les environs. Et, à vue de nez, la surface à immerger pour que l'eau des lacs proches en vienne à mouiller le pas de porte de la bâtisse supposait un volume liquide trop important pour une tempête, même cyclonique. Ce cas de figure me paraissait scientifiquement tout simplement impossible et ne pouvait donc entrer en ligne de compte de notre problématique immédiate.

Mais, une fois de plus, mon esprit courait en loup solitaire dans les steppes arides de la logique et de la déduction. Sans se soucier des étapes ni s'appesantir sur les embranchements et les circonvolutions du trajet. Seule la conclusion finale lui importait. Les choix intellectuels faits pour y arriver ne se discutaient plus dès l'instant que la trajectoire du raisonnement était parvenue à son terme.

Là était un de mes principaux défauts : je privilégiais instinctivement le fond, sans me préoccuper outre mesure de la forme. Mes enfants et mes rares amis me le reprochaient chacun à leur façon : les premiers me disaient généralement ne pas comprendre ce que je tentais de leur expliquer tandis que les seconds me trouvaient tantôt brusque, tantôt cynique. Je coupais alors court au débat. Le plus souvent, en me repliant dans la fuite par un silence offusqué ou une théâtrale sortie de scène.

C'est ce que je fis ce soir-là en quittant le salon.

Je m'éclipsai de cette assemblée de béotiens et en profitai pour tendre le nez à l'extérieur, en l'éclairant de mon mieux avec la lampe torche.

La lisière de l'eau avait atteint les clôtures de la parcelle de Josef. Elle semblait marquer un net coup d'arrêt sur cette limite altimétrique.

« J'ai raison. Elle n'ira pas plus haut. » me dis-je à voix haute, en refermant la fenêtre.

Le commentaire de Josef, qui avait discrètement fait rouler son fauteuil jusque dans l'entrée, résonna derrière moi :

« C'est peut-être le cas, Roland... Mais, pour l'instant, personne d'autre que toi ici ne peut en être convaincu... »

Son visage était livide. La pénombre dévoilait une sorte de terreur contenue dans ses yeux.

« Et, si cela peut te rassurer, j'ai de la bouffe pour un régiment... »

Soudain, la radio cessa de grésiller en même temps que l'obscurité tomba.

L'électricité venait de sauter.

*****

Sur les indications de Josef, je rapportai dans le salon des bougies de toutes sortes et Tchavolo parvint à lancer une flambée dans la cheminée. Nous étions aux prises avec une panne d'alimentation électrique générale devant laquelle nous demeurions impuissants.

Les yeux perdus dans la danse fascinante du feu léchant les bûches, nous restâmes un long moment assis autour de la chaleur du foyer sans parler. La lumière chaude et changeante des flammes des chandelles et des braises semblait tenir une conversation avec les soupirs, les ronflements et les sifflements du vent qui menait sa tempétueuse gigue nocturne derrière les murs de notre fragile masure.

Malgré la situation précaire, Esther se sentait mieux. Le froid avait quitté son corps. Les frissons s'étaient dissipés. La fièvre passait et la présence silencieuse de ses compagnons la rassurait. Elle écoutait les bourrasques frapper la bâtisse et tentait de se figurer le débordement des étangs qui l'enserraient. Mais ses pensées revenaient sans cesse à ce gros dégueulasse de routier qui avait essayé de la violer. Elle regrettait de ne pas l'avoir blessé plus cruellement. Les réactions de guerrière qu'elle avait eues la rendaient fière. La jeune femme s'imaginait en train de l'émasculer sur le volant de son camion à coups de bottines, comme on écrase un escargot. Un sourire rageur traversa son visage.

Assis à côté d'elle sur le canapé, face à la cheminée, Tchavolo ne desserrait pas les dents. Il avait envie de croire à mon analyse de la situation. Que l'inondation s'arrêterait avant que les eaux n'atteignent la maison. Mais de vieux réflexes de superstition gitane l'en empêchaient.

« Et qu'est-ce qu'un gadjo comme lui peut comprendre à la puissance des éléments naturels ? » se persuada-t-il.

Pour le jeune homme, le cours de la vie n'était pas qu'un simple enchaînement de formules, de théorèmes et de calculs. L'âme des lieux, les malédictions passées et les conjonctions cosmiques avaient aussi leur importance. Tchavolo savait qu'une partie de cet univers spirituel invisible lui était habituellement un peu accessible. Comme entrouvert. Mais, depuis son accident en ambulance, il lui semblait que la porte vers les esprits des ancêtres s'était brusquement refermée. Ou plutôt que le monde qu'elle protégeait s'était dissimulé à sa perception.

Soudain, Josef s'éloigna du feu et roula vaillamment jusque vers la cuisine, en tenant un grand cierge allumé à la main. Je le vis farfouiller dans ses placards et marmonner dans sa barbe. Il me sembla même l'entendre siffloter à certains moments.

Un instant, je réfléchis à notre quatuor. Essayant de prendre le recul et le détachement nécessaires pour nous observer comme si j'avais été extérieur à la scène.

Je me rendis compte que j'échouais à cerner les pensées et les intentions de Josef. Autant je pouvais le rejoindre et le comprendre sur la musique, l'ironie de ses remarques ou son sens de l'autodérision, autant il m'étonnait, voire m'inquiétait, dans sa présente attitude.

Les réactions de Tchavolo et Esther me semblaient bien plus évidentes et prévisibles. Ils étaient deux jeunes esprits. Immanquablement faibles et peu aguerris aux vicissitudes de l'existence. Brutalement sortis du confort de la modernité et de la technologie dans lequel leur génération s'était perdue.

Quant à moi, je ne me surprenais pas. En pilotage automatique... Guidé exclusivement par la logique que me dictaient mes connaissances scientifiques et le pragmatisme qu'imposait la situation. En ces instants incertains, je refusais de laisser une quelconque place à l'émotivité ou à l'irrationnel.

Soudain, la voix de Josef retentit du fond de la cuisine.

« Ah, nom de dieu, ça y est ! Je l'ai enfin trouvée ! »

Il revint vers nous en chantonnant. Une bouteille ventrue et opaque était coincée entre ses cuisses.

« Roland ! Attrape-nous quatre petits verres dans le bahut derrière toi. À moins qu'Audrey n'ait aussi ravagé ce coin-là de la baraque, il devrait y avoir ce qu'il faut. Prends ceux en cristal ciselé, ce sont mes préférés ! »

D'un coup, je retrouvai le Josef de l'après-midi. Foutraque et déterminé.

*****

Il nous servit généreusement un liquide épais, ambré, et leva sa coupe vers nous en criant :

« Lé Haïm ! [4]»

Nous trinquâmes et Josef nous expliqua l'origine de sa bouteille.

Il s'agissait d'une vieille eau-de-vie de prunes de contrebande, rapportée clandestinement de Roumanie en 1990, dans le coffre d'une Renault 9 asthmatique et pilotée par son cousin Jacques. Ledit cousin était mort depuis... Emporté par une cirrhose.

« Putain ! C'était toute une époque ! Vous ne pouvez pas vous en rendre compte... »

Les yeux de Josef étincelaient.

Tchavolo et Esther souriaient gentiment. Par politesse. Ils étaient trop jeunes pour comprendre.

Pour ma part, je n'étais qu'adolescent lorsque le bloc de l'Est s'effondra. Mais j'avais des souvenirs encore très précis de cette période. De son esthétique effroyable, de l'emballement médiatique excessif autour de la première guerre du Golfe et des balbutiements de la téléphonie mobile et du web. En ces temps, un siècle s'achevait et une autre ère radicalement différente prenait naissance. L'eau-de-vie de Josef s'inscrivait dans cette rupture historique et, pourtant, c'était également elle qui nous rassemblait ce soir-là. Quelle ironie !

Puis, le vieil homme poursuivit :

« Bon... Maintenant que nous sommes tous les quatre alcoolisés et coincés ici, a priori pour un bon petit moment, je pense que ce serait bien que nous nous connaissions un peu mieux, non ? »

---

[4] *« A la vie ! » en hébreu.*

L'idée de Josef était pertinente mais, curieusement, un silence gêné lui répondit. Comme si sa proposition était une énormité inopportune et hors de propos. Tchavolo et Esther maintenaient leurs regards perdus dans le feu de cheminée, tandis que je me plongeais dans la contemplation des reflets ambrés de mon eau-de-vie.

Le vieil homme soupira.

« Allez, c'est mon idée après tout... Je me lance... Je vais vous raconter l'un de mes plus mauvais souvenirs... »

De concert, nos yeux se tournèrent vers lui.

« Je suis né en 1925 dans les environs de Cracovie et, comme vous l'avez peut-être deviné, je suis d'origine juive. Ashkénaze, pour être exact. Autant vous dire que mon enfance à partir de 1939 n'a pas été une partie de plaisir. Exode avec mes parents et ma jeune sœur fin août 1939, juste avant le début de l'invasion des Allemands. On a réussi, tant bien que mal, à atteindre la Yougoslavie fin septembre puis, de là, à prendre un paquebot pour Marseille où nous nous sommes installés chez mon oncle. Nous n'avions plus rien en descendant du bateau. À neuf dans un trois-pièces sous combles avec les salaires de dockers de mon père et son frère, je peux vous dire que ce ne fut pas l'opulence... Mais ce fut pire après. En 1942, les Allemands occupent la zone libre et prennent Marseille en novembre. Dénonciations. Rafle de mes parents, ma sœur, mon oncle, ma tante et mes cousins par la milice. Tout le monde sauf moi... J'étais sorti chercher du pain ce matin-là. J'ai assisté à toute la scène, caché dans une poubelle de l'immeuble. L'un des miliciens a abattu ma sœur Sarah à bout portant. Elle pleurait trop fort pour lui. Tous les autres ont été emmenés. Aucun d'eux n'a survécu. Mes parents sont tous les deux morts à Auschwitz. À quelques dizaines de kilomètres de là où nous vivions... Et moi, j'ai dû m'enfuir en abandonnant derrière moi le cadavre de Sarah... »

Josef marqua un temps d'arrêt.

Il avait quatorze ans en 1939. L'âge de mon fils aîné. Je pensai à lui, l'imaginant entraîné dans un tel cauchemar. Ma gorge se noua.

Les yeux écarquillés, Esther restait interdite. Le visage rond de Tchavolo était devenu grave et tendu.

« Quelle horreur ! C'est inhumain... Comment as-tu pu trouver la force de t'en sortir psychologiquement et physiquement ? » demandai-je.

Josef poursuivit son récit :

« Je me suis caché dans le maquis provençal. Un berger s'est occupé de moi. Puis, j'ai rejoint la résistance, quelques mois avant la libération. Ensuite, je suis parti vivre loin de tout ça, sur la côte Atlantique. J'ai travaillé dans l'hôtellerie, un peu partout, et j'ai fini directeur d'un hôtel de luxe à Paris. Avec ma femme, on a acheté cette maison pour une bouchée de pain, dans les années 60. Elle est devenue notre résidence secondaire puis nous nous y sommes installés lors de notre retraite. »

Le vieil homme n'avait pas répondu directement à ma question. Il avait choisi de raconter les grandes lignes du cours du reste de son existence. Comme si ce processus de reconstruction sur lequel je l'interrogeais y était inscrit et durerait jusqu'à la fin de ses jours.

J'étais surpris que Josef puisse nous parler de ces années dramatiques avec autant de facilité et de recul. Aussi simplement. De but en blanc.

Mais cette aisance me semblait n'être qu'apparente. Elle était plutôt l'effet d'une abstraction de ces effroyables événements qui avait, au fil du temps, permis à Josef de rebondir. C'était un des mécanismes de défense de la résilience dont il faisait preuve. Ce phénomène psychologique implique souvent un changement de personnalité et de point de vue sur les choses de la vie. Le vieil homme ne s'en était probablement pas rendu compte lui-même. Il me revint, alors, à l'esprit cette citation de Primo Levi : « Il n'est pas rare, quand on a tout perdu, de se perdre soi-même » [5].

---

[5] *« Si c'est un homme », Primo Levi (1947)*

Nous restâmes silencieux. Je me levai, pris la bouteille d'eau-de-vie et fis la tournée des verres vides.

« Tu as mis haut la barre, Josef ! » lançai-je, en forme de trait d'humour.

J'étais mal à l'aise à l'idée d'exposer, comme cela en public, une part de mon histoire et de mes sentiments. Cependant, je m'apprêtais à entrer, à mon tour, sous les feux de la rampe quand Esther leva son verre vers le vieil homme et dit :

« Lé Haïm, Josef ! »

Puis elle continua.

« Si on en est à se raconter nos mauvais souvenirs, j'aurais beaucoup à dire. En ce moment, je vais même de mauvais souvenir en mauvais souvenir... Tout ce que je tente part en vrille. Au début, je me dis que c'est une bonne idée, que ça va le faire, je me lance et paf ! Ça finit mal...

— À ce point-là ? Vraiment ? l'interrompis-je dans ce qui me semblait être une amorce de jérémiade, malvenue après le récit poignant de Josef.

— Ouais, à ce point-là ! », répondit la jeune femme d'un ton cassant.

Je me tus, attentif à la suite de ses lamentations.

« Mais le plus mauvais d'entre eux, c'est sûrement d'avoir dû traverser ces putains de marais dégueulasses, dans la tempête, pour échapper à un violeur qui a presque réussi à me prendre dans son camion... C'est pour ça que je suis là au lieu d'être, comme prévu, en route pour l'Aveyron. »

Je regrettai instantanément le jugement hâtif que j'avais eu quelques secondes auparavant.

Esther enchaîna :

« Et si je partais pour l'Aveyron, c'était parce que je me suis fait jeter hors de chez moi par mon cassos de logeur et, qu'avant ça, j'ai perdu mon boulot de psy en ressources humaines. Et qu'avant ça encore, je me suis fait dégager par mes parents. Donc, les emmerdes à répétition, je connais plutôt bien... D'où les mauvais souvenirs à répétition, aussi... On me croit maintenant ? »

Sa voix tremblait. Je n'osais plus la regarder. Une fois de plus, mon scepticisme était allé trop loin.

« C'est une mauvaise passe. Ça va s'arranger, ne perds pas espoir. Quand ça allait mal pour moi, ma grand-mère me disait : l'herbe plie sous le vent et tient encore quand le vent est passé », dit Tchavolo en plaçant une nouvelle bûche dans la cheminée.

La jeune femme s'était mise à pleurer doucement.

« Il a raison, Esther, et j'en suis la preuve vivante. Et dis-toi que, maintenant, tu as la chance d'être avec nous ! » ajouta Josef avec bienveillance et aménité.

Tchavolo s'était rassis dans le canapé. Il prit une grande inspiration et nous raconta, en regardant le feu se raviver :

« Je suis manouche et j'ai une sœur qui s'appelle Esmeralda. J'ai aussi eu un grand frère, Django. Un jour, lorsque j'avais treize ans, il m'a emmené pêcher avec lui au bord d'une rivière assez loin de notre camp. En revenant, on est passé par un terrain vague. Une bande de skinheads nous est tombée dessus. On ne les a pas vus venir. Quatre ou cinq tondus, je ne me souviens plus trop. Ils voulaient casser du gitan. Mon frère les a retenus pour que je puisse m'enfuir. J'ai couru comme un malade jusqu'au camp avertir les autres. Mon père et mes oncles sont partis chercher Django avec des fusils et leurs bagnoles. Ils sont revenus avec lui un peu plus tard. Django était dans un sale état... »

Tchavolo hésita, baissa la tête. Les muscles de sa mâchoire se contractaient comme s'il était en train de mastiquer un morceau de pneu.

« Après ça, il n'a plus jamais reparlé, reprit-il. Son regard était vide. Je n'ai jamais su ce que ces enculés de gadjo lui avaient fait vraiment, en plus des lacérations sur le visage… Un an plus tard, il s'est pendu… C'est moi qui l'ai trouvé. Sûrement pour me punir de n'avoir pas couru plus vite pour trouver des secours. »

Tchavolo renifla fortement deux ou trois fois. Une façon pour lui de clore son récit et de contenir ses larmes.

L'histoire du jeune homme était dramatique. Je sentais que la rage et la culpabilité cohabitaient dans son esprit.

« Est-ce pour cela que tu es devenu ambulancier ? » lui demanda Esther.

Tchavolo releva la tête. Ses yeux brillaient. Il lui sourit avec douceur.

« Je n'y ai jamais vraiment réfléchi… Peut-être, oui… Il fallait surtout que je quitte le camp, que j'échappe à tout ça… Au regard des autres…

— Si on y réfléchit bien, Tchavolo, nous sommes un peu frères de malheur… » ajouta Josef, en levant son verre vers lui.

En de nombreux points, comme la victimologie, le schéma de résilience évoqué ou la nature raciste de l'événement, les malheurs du vieillard et du jeune homme se rejoignaient effectivement.

J'accompagnai Josef du même geste et pris la parole.

« Bien… Il semble que ce soit à mon tour de me confier… Je n'aime pas cela, mais loin de moi l'idée de me défiler. »

En réalité, depuis le début de cette séance, selon moi digne d'un groupe de parole d'alcooliques anonymes, je réfléchissais à ce que j'allais bien pouvoir raconter. Mais rien ne m'était venu à l'esprit. C'est sur cet aspect-là que je décidai de disserter avec mes compagnons de tempête :

« Voilà, pour tout dire, je n'ai pas de mauvais souvenirs. Ni de bons souvenirs, d'ailleurs. Mon enfance a été morne et triste. Sans vagues, sans extrêmes. Dans un sens comme dans l'autre... Ensuite, dès la fin de l'adolescence, j'ai rationalisé et décortiqué de façon analytique ce qui m'arrivait de bon ou de mauvais. De telle sorte que rien ne m'a particulièrement affecté pendant toute mon existence. C'est probablement moins le cas depuis mon divorce, il y a quelques années... Mais, depuis cette date, je n'ai rien vécu de vraiment traumatisant au regard de vos histoires. Je botte, donc, en touche... Hélas pour la richesse de notre conversation... »

Je m'attendais à des protestations. Rien ne vint. Tchavolo et Esther me regardaient. Josef fixait l'âtre de la cheminée.

« C'est ton choix, Roland. Il est respectable et, finalement, ce que tu nous as dit dévoile indirectement un aspect de ta personnalité... dit la jeune femme au bout de quelques secondes.

— Moi qui te connais un peu plus qu'eux deux, je ne crois pas à ton incapacité à être ému. Tu as une fibre artistique évidente et Gide disait que l'art est aussi distant du tumulte que de l'apathie[6] », ajouta Josef.

J'écoutais les remarques d'Esther et du vieil homme avec bienveillance. Leur façon de voir les choses ressemblait bien à la manière dont je percevais chacun d'eux : l'approche psychologique pour l'une et érudite pour l'autre. Mais, pour je ne sais quelle raison, Tchavolo ressentit le besoin de me défendre :

« Foutez-lui la paix. On a tous notre jardin secret. C'est comme ça. »

---

[6] « *Journal 1889-1939, Feuillets* », *André Gide*

Premier jour

À la lueur des bougies, nous avions réussi à dégoter ce qu'il fallait dans les affaires de Josef pour créer les trois couchages supplémentaires qui nous étaient nécessaires. Je dormis tant bien que mal, par brèves périodes, jusqu'au lever du soleil. La puissance des bourrasques qui s'abattaient sur la maison avait fini par décroître en fin de nuit. Au petit matin, lorsque j'arrivai dans le salon où trônait la bouteille d'eau-de-vie éclusée la veille, Josef était déjà installé dans son fauteuil roulant et contemplait le paysage par la double porte vitrée donnant sur l'arrière de la propriété.

Je m'approchai et restai à mon tour dans un état de stupeur mêlée de consternation. À quelques mètres de nous, à partir du pied du tertre sur lequel la maison était construite, l'eau s'étendait à perte de vue. Le miroir liquide qu'elle constituait avait une couleur marron grisâtre. Les rafales en ridaient la surface bourbeuse, percée par des cimes d'arbres qui en surgissaient de place en place. J'ouvris la porte-fenêtre et fis le tour de la bâtisse. Nous étions totalement cernés par cette masse marécageuse que nous dominions d'un ou deux mètres de hauteur seulement.

Mes prévisions s'étaient avérées exactes mais je ne m'étais tout de même pas attendu à ce que l'inondation eût atteint un tel niveau. Ma voiture était à moitié engloutie et l'ambulance de Tchavolo avait disparu, probablement entièrement submergée. Heureusement, la pluie avait cessé.

Je regagnai la maison en songeant à l'étrangeté de notre situation. Nous étions comme des naufragés perdus sur une île déserte au milieu de l'océan. Sauf qu'en l'occurrence nous ne nous trouvions pas sous des latitudes exotiques mais bien en plein cœur du parc de la Brenne.

« Nous ne sommes pas les révoltés du Bounty, mais les naufragés du Berry... » me dis-je, satisfait de mon jeu de mots que je m'apprêtais à aller répéter à Josef.

*****

Lorsque j'entrai à nouveau dans le salon, le vieil homme s'était éclipsé. Je l'entendis parler à quelqu'un dans la cuisine.

Je refermai la porte vitrée. Seule la voix de Josef me parvenait. Je n'arrivais pas à identifier s'il conversait avec Esther ou Tchavolo.

« Mais, puisque je te le dis... Va voir si tu ne me crois pas... » disait-il calmement.

Je traversai le salon pour le rejoindre et finis par m'arrêter avant d'en atteindre l'extrémité.

« Comment ? Que racontes-tu là, Lucienne ? » venait d'ajouter Josef.

Je me rappelais notre discussion de la veille, lorsque nous musardions au milieu de ses disques vinyle. Le vieil homme m'avait expliqué que sa femme Lucienne, décédée, lui avait fait découvrir la musique classique. Josef était donc en train de bavarder avec le fantôme de son épouse. Un sentiment de gêne m'envahit. Mais je ne pus m'empêcher de rester sur place, légèrement retranché dans un coin de la pièce, à l'écouter silencieusement. Était-ce de la curiosité malsaine ? Ou une sorte de voyeurisme auditif ? En réalité, je n'éprouvais aucun plaisir à être dans cette situation inconfortable. Toutefois, il me semblait préférable de me faire discret quelques minutes plutôt que de débouler dans la cuisine comme un chien dans un jeu de quilles et de surprendre brutalement Josef dans son hallucination. Après tout, il était chez lui. Il avait droit à son intimité et à l'exercice de ses manies. Était-ce d'ailleurs si étrange que cela ? Je suis fréquemment seul et il m'arrive de me parler. Bien sûr, à la différence de Josef, cette habitude ne suppose pas que mon cerveau invente une présence qui n'existe pas. Mais, après tout, chacun apprivoise la solitude à sa façon et personne n'est inquiet pour la santé mentale de l'aviateur dans « Le Petit Prince » de Saint-Exupéry.

Je retournai donc à pas de loup jusqu'à la porte-fenêtre contempler le paysage et attendis que Josef revienne dans le salon.

*****

En milieu de matinée, nous fûmes tous rassemblés dans la salle à manger.

De manière assez décousue, chacun de nous apporta son avis sur la situation. Ce qui nous manquait. Ce qui pouvait être tenté. Ce qu'il fallait éviter de faire, de croire, d'espérer. Ce fut le grand déballage des mille petites questions qui préoccupaient nos esprits agités et inquiets. Une sorte d'exutoire collectif qui n'avançait à rien d'autre qu'à faire du sur place. Nous étions là, tels des hamsters galopant dans leur roue.

Cependant, nous finîmes par aboutir à un point de vue consensuel sur trois sujets : rien de vital ne nous manquerait pour au moins deux semaines, nous étions totalement isolés du reste du monde et il était préférable d'attendre calmement les secours. En bref, il n'y avait, pour l'instant, pas vraiment péril en la demeure. Le plus compliqué était, surtout, de parvenir à faire perdurer la patience et la bienveillance dont nous devions faire preuve les uns envers les autres.

*****

Un peu plus tard, je dénichai dans la cuisine de Josef un exemplaire de l'Écho du Berry qui, certes, datait de quelques jours mais dont la lecture était susceptible de me distraire un peu. En effet, je suis assez volontiers amateur de ce genre de feuilles de chou locales. Elles mettent sur un pied d'égalité l'actualité internationale et la fête à la sardine du village du coin.

J'étais confortablement assis dans un fauteuil, près de la cheminée, et plongé dans la découverte d'un article sur le déroulement de la prochaine course de tracteurs de Loches quand Esther passa devant moi. Elle jeta un œil sur la photographie en une du journal et lança :

« Quel salaud, celui-là ! On devrait interdire son film ! »

Je me rappelai que l'éditorial parlait du dernier film de Roman Polanski et surtout du scandale lié aux accusations d'agressions sexuelles dont il faisait l'objet. Dans la dynamique du mouvement Me Too, ce sujet cristallisait des prises de position radicales. Des étoiles du cinéma, de l'opéra et des arts en général chutaient du firmament sous la vindicte sans appel des réseaux sociaux. Des réputations étaient détruites avant même que la justice ne se fût exprimée ou n'eût été saisie. Toutefois, dans le cas présent, le jugement à l'emporte-pièce d'Esther me choquait. Elle semblait estimer que, dès lors qu'un artiste est condamnable, l'œuvre le devient également. Comme si cette dernière devait nécessairement porter la marque du malin. Cette considération m'apparaissait d'autant plus abusive que, dans le cas particulier qui nous intéressait, on ne pouvait certainement pas taxer les films de Polanski d'avoir pu faire un jour l'apologie des mœurs pédophiles dont on l'accusait.

« Je ne suis pas d'accord avec toi. Surtout dans cette affaire-là. Polanski est, peut-être, coupable et c'est à la justice de trancher. Mais ses films ne le sont pas et restent de très beaux films quoiqu'il arrive, dis-je à mon tour.

— Tu soutiens les violeurs et les pédophiles ? Bravo ! Ce sont des gens comme toi qui pourrissent notre société », m'asséna-t-elle du haut de son mètre soixante, en plantant ses yeux verts dans les miens.

Les mots d'Esther me piquèrent au vif. Me sentant injustement attaqué, je répliquai de façon cinglante :

« Évidemment, tu fais partie de cette génération de moutons qui n'a aucune véritable culture historique et, donc, aucun recul sur ce qui lui arrive. Pauvre petite…

— Moi, au moins, j'ai des convictions ! me lança-t-elle avec morgue.

— Pas des convictions... Plutôt le même bêlement inepte que celui de tes contemporains. Tous gavés à la bouillie intellectuelle que vous déversent les réseaux sociaux. Tes considérations sur le sujet sortent du même creuset que celui des idéaux de l'Inquisition et du nazisme. Digne héritière spirituelle de ceux qui ont pratiqué les autodafés et inventé la notion de culture dégénérée. Ton mode de pensée n'est pas différent de ceux de Goebels ou des talibans et tu ne t'en rends même pas compte ! Tu oublies que l'œuvre d'art existe d'abord pour elle-même et non pas dans le rapport qui l'unit à son temps ou à son créateur. Je t'invite à lire ce qu'ont pu écrire et dire André Malraux ou Simone Weil sur la question ! Tu y verras peut-être plus clair !

— Ouais, c'est ça ! Ça t'arrange bien de défendre ce système dégueulasse et de ne pas soulever le couvercle. Espèce de vieux connard préhistorique ! »

Josef et Tchavolo s'étaient approchés, alertés par le ton acerbe de notre échange.

« Petite conne de Bisounours chasseuse de licorne ! Que le diable te crache au cul ! »

Puis, je repris la lecture de mon article, en remontant ostensiblement les pages de l'Écho du Berry devant mon visage. Esther sortit de la pièce en fulminant.

J'étais d'un naturel habituellement calme mais, en de rares occasions, je pouvais également me révéler extrêmement susceptible.

Nous ne nous adressâmes plus la parole de la journée.

*****

Plus tard, en milieu d'après-midi, Josef m'invita à l'amener à son garage. C'était un grand appentis fermé et attenant à la maison. Le vieil homme avait dans l'idée que nous essayions de réparer un ancien générateur électrique qui y trônait parmi tout un capharnaüm d'antiquités mécaniques rouillées.

Nous croisâmes Tchavolo. Il avait trouvé une échelle et s'activait à remettre en place des tuiles du toit soulevées par la tempête. Le vent était totalement retombé mais le temps restait incertain. Il discutait avec Esther qui se tut à mon passage.

Sur les indications et conseils de Josef, je m'escrimais à tenter de rafistoler l'engin diabolique. Tout ce qui en était métallique était oxydé. Les joints et les courroies étaient écrouis autant que les valves et tubulures étaient obstruées par la crasse. Cela dura une bonne heure et je désespérais de parvenir à faire fonctionner un jour un tel bazar. Puis Tchavolo et Esther finirent par nous rejoindre et je dus bien reconnaître que leur aide me fut d'un grand secours. Le vieil homme fut le chef d'orchestre de notre trio de bricoleurs.

Notre somme de talents et d'énergie vint à bout du générateur électrique en même temps que le soleil disparut au bout de l'immense étendue marécageuse qui nous cernait. Le vrombissement du moteur fendit le silence lacustre et nos visages, éclairés par la lanterne de chantier qu'il alimentait, rayonnaient de joie. Il me sembla qu'enfin nous reprenions la main sur nos destins. Je lus la même satisfaction dans les regards de mes compagnons d'isolement et je ne pus m'empêcher de lancer un hourra suivi par un « Nom de dieu ! Je suis fier de nous ! »

Deuxième nuit

La puissance électrique dont nous disposions désormais était modeste. Mais elle permettait d'alimenter quelques lampes, de recharger nos smartphones et de faire fonctionner le poste radio de Josef.

Le réseau téléphonique était toujours absent.

« La couverture des lieux est habituellement dégueulasse et l'antenne du coin s'est probablement cassé la gueule dans un marais », nous expliqua Josef.

Toutefois, nous parvînmes à accrocher France Inter. La qualité était médiocre. La couverture FM avait elle aussi manifestement souffert dans la tempête. Cela me rappela à quel point j'avais pu pester lors de l'abandon des grandes ondes en 2017. Je considérais à l'époque que c'était une monumentale erreur stratégique. Les faits me donnaient raison.

Le bulletin d'informations nous apprit que la situation était catastrophique. L'ouragan Iris avait dévasté une longue bande d'environ deux cents kilomètres de large qui partait de La Roche-sur-Yon, passait par Besançon et était en train de s'achever dans le sud de l'Autriche. En France, l'état d'urgence avait été décrété. La sécurité civile ne savait plus où donner de la tête. Des milliers de foyers étaient privés d'électricité. Des villages entiers se retrouvaient inondés et coupés du monde. Les fonds de vallée étaient submergés et des dizaines de routes avaient été recouvertes par des glissements de terrain ou des coulées de boue.

« Mieldech ! rumina Tchavolo. Ça veut dire qu'on n'est pas près de s'échapper de là... »

Puis, il sortit griller une cigarette dans la nuit. Une bruine légère tombait doucement sur lui. L'isolement et l'enfermement pesaient sur le jeune homme. Non pas que se retrouver face à lui-même et inactif le gênait. Mais l'immobilité n'était pas dans sa nature manouche.

Pensant à sa famille dont il ne pouvait avoir aucune nouvelle, il expira un épais nuage de fumée de tabac qui s'éleva lentement entre les gouttelettes de pluie. Deux entités aériennes mais différentes qui se croisaient dans des directions opposées sans interférer l'une avec l'autre. Une belle métaphore de sa personnalité tiraillée par deux modes de vie antagonistes.

« Tout ça me fait chier... » marmonna-t-il, en jetant au loin son mégot consumé.

Il rentra dans la maison et nous proposa de préparer à manger.

*****

Tandis que Tchavolo s'occupait l'esprit en épluchant des carottes et des patates dans la cuisine, Josef nous observait Esther et moi.

La jeune femme consultait la galerie de photos de son smartphone, assise sur le canapé du salon. De mon côté, installé à la table de la salle à manger, je feuilletais un livre sur l'art flamand déniché dans la bibliothèque du vieil homme. Nous étions aussi éloignés que possible l'un de l'autre.

« Vous n'avez pas un peu fini de vous faire la gueule, vous deux ? On dirait des gamins ! lâcha Josef d'une voix forte et chargée de reproches.

— C'est elle qui a commencé, répondis-je.

— Voilà ! C'est bien ce que je disais... Des gamins ! continua le vieil homme. Mais, comme on risque d'être coincés ici un bon moment, il va falloir que vous dépassiez vos désaccords. »

Josef avait raison. Je le savais. Mes propos du matin envers Esther avaient été excessifs. Mon opinion demeurait inchangée depuis notre engueulade mais je me rendais compte que je l'avais injustement prise de haut. La jeune femme n'était probablement pas aussi niaise et idiote que j'avais bien voulu le croire. Et, même si je restais persuadé que sa manière de voir les choses était à la fois simpliste et dangereuse, j'étais navré d'avoir abordé notre désaccord avec un tel manque de tact et de recul.

De son côté, Esther s'étonnait d'avoir été d'emblée si agressive. Diplômée en études de psychologie, elle connaissait les ressorts de la programmation neurolinguistique et de l'analyse transactionnelle. Sa façon de réagir avec moi n'avait pu être que contre-productive et ne lui ressemblait pas. La jeune femme en avait conscience. Mais elle ne s'en voulait pas pour autant. Esther estimait qu'il était temps pour elle d'attaquer avant qu'on ne lui fasse du mal, quitte à devenir imbuvable ou hystérique.

« On ne gagne rien à ne pas accepter l'autre dans sa différence de point de vue et de sensibilité, poursuivit Josef. Il y a longtemps, j'ai fait cette erreur avec ma petite-fille. Les dégâts ont été irréparables tout comme ceux qu'elle a infligés à cette maison... »

Esther pensa à ses parents. À ces mots durs qu'ils s'étaient jetés à la figure avant qu'elle ne disparaisse de leur vie. Les paroles du vieillard faisaient écho en elle.

« Que s'est-il passé avec ta petite-fille ? » demanda-t-elle sans détour.

Josef regarda Esther dans les yeux. Les rides autour de sa bouche et sur son front venaient de se creuser.

Au même instant, Tchavolo revint de la cuisine. Il s'approcha de nous.

« Lucienne et moi avons eu un garçon, Michel, en 1955. Il s'est marié et a eu, à son tour, deux enfants. Audrey et Nicolas. Mais Michel et sa femme se sont tués en voiture en 1996. Sur l'autoroute du Sud, lors d'un grand départ en vacances d'été. »

Josef s'arrêta. Sa voix s'était éraillée.

« Ils étaient avec leurs enfants qui, eux, s'en sont sortis indemnes, reprit-il plus lentement. Lucienne et moi les avons recueillis ici. J'étais déjà en retraite à l'époque. Nicolas avait dix ans et Audrey quinze. Elle était en pleine crise d'adolescence. La perte de ses parents l'a dévastée ; elle s'est mise à faire n'importe quoi, à nous voler pour se droguer, à fuguer, à coucher à droite à gauche. Deux ans plus tard, elle était déscolarisée et devenue une vraie épave. Nicolas a mieux résisté que sa sœur. Mais, il est devenu très introverti. Plus rien ne parvenait à le toucher. Quant à Lucienne, elle a essayé de tenir sa petite-fille à bout de bras tant qu'elle a pu mais sa santé nerveuse a décliné au fur et à mesure des frasques d'Audrey. »

Josef se redressa dans son fauteuil. Son regard s'était durci. Nous l'écoutions tous les trois sans broncher.

« À l'époque, l'attitude d'Audrey m'exaspérait. Je lui reprochais sa mollesse, son manque d'énergie. Je lui disais que je n'avais pas eu, comme elle, le loisir d'avoir encore une famille à son âge. Que la mort de ses parents n'était pas une excuse pour se laisser couler. Et puis un jour, je suis entré dans une fureur incroyable : la coupe était pleine. J'ai pensé à ce moment-là que je devais préserver coûte que coûte la santé de Lucienne en me débarrassant de ce qui la détruisait à petit feu. Audrey avait vingt ans. Je l'ai jetée dehors en lui disant qu'elle déshonorait la mémoire de ses parents et la chance qui m'avait été donnée de survivre à la guerre. Après cela, on ne l'a plus revue pendant un bon moment. Et, évidemment, j'avais eu tort d'agir ainsi... »

Je comprenais où Josef voulait en venir. À l'époque, sa réaction avait été légitime mais ses mots excessifs. Il cherchait à me montrer les points communs entre son histoire personnelle avec Audrey et la dispute que j'avais eue plus tôt dans la journée avec Esther. Je me demandai alors pourquoi j'étais ainsi sorti de mes gonds avec la jeune femme. Josef avait eu de très bonnes raisons de le faire avec sa petite-fille. Mais pas moi avec Esther qui m'était, par ailleurs, complètement étrangère ; il n'y avait aucune dimension affective entre nous. Quelle frustration profonde et inconsciente pouvait être à l'origine de ma colère ?

De son côté, Esther devina que Josef cherchait à lui tendre une perche. Elle se rappelait nous avoir brièvement dit la veille s'être fâchée à mort avec ses parents.

Josef continua son récit :

« Elle a un peu réapparu chez nous, quelques années plus tard, pour nous demander de l'argent. Les liens étaient définitivement cassés entre nous. Audrey était devenue vulgaire, bornée, inculte, aigrie. Nous ne la reconnaissions plus. Et cela n'a pas changé. Était-ce écrit d'avance ou en suis-je responsable ? C'est, hélas, une question que je me pose tous les jours... »

La gorge d'Esther se serra. Était-il encore temps pour elle de renouer avec ses parents ? N'était-il pas trop tard ?

« Et Nicolas ? » demanda Tchavolo.

Un sourire réapparut sur le visage de Josef.

« Nous sommes toujours restés en contact avec lui. Il n'a jamais cessé de nous témoigner son affection. À sa façon ; distante mais solide. Il a fait quelques années d'études universitaires en géographie à Nantes. Puis, il est parti vadrouiller à travers le monde, en vivant de petits boulots et d'aventures. En ce moment, je crois qu'il est chercheur d'émeraudes en Australie. Avant, il convoyait des voiliers de luxe entre l'Europe et l'Asie. Il change d'endroit tous les deux ans environ et n'est jamais revenu en France. Mais il m'appelle de temps en temps, pour prendre des nouvelles. C'est un bon garçon... »

Étrangement, ces quelques phrases firent du bien à Tchavolo. Elles lui prouvaient que, comme lui, d'autres avaient fait des choix d'existence très atypiques et s'en étaient quand même très bien sortis. Que cela était possible et ne supposait pas de rompre toutes les attaches avec les siens. Pour autant, le jeune homme se demanda s'il ne devait pas, comme le petit-fils de Josef, changer de métier et se lancer dans une activité plus satisfaisante pour son âme manouche.

*****

Le repas préparé par Tchavolo fut agréable et convivial. Il nous permit de resserrer nos liens d'isolés involontaires. Je fis mon possible pour renouer le dialogue avec Esther et nous finîmes par tous discuter ensemble sereinement. L'alcool aidant, j'amusais la galerie avec des traits d'humour.

Puis, par je ne sais quel jeu du hasard, notre conversation dériva sur la musique classique. Josef et moi nous mîmes alors en tête de faire aimer ce genre musical à nos deux jeunes compagnons qui en ignoraient tout. Nous nous éclipsâmes dans son bureau-bibliothèque pour farfouiller dans ses vinyles et y dénicher les airs qui nous semblaient les plus réputés ou les plus abordables.

Pendant ce temps, Esther et Tchavolo s'assirent côte à côte près de la cheminée. Ils avaient à peu près le même âge et se plurent à partager des souvenirs communs de ce qui passait à la télévision ou à la radio lorsqu'ils étaient adolescents. Leurs goûts musicaux étaient assez semblables. Ils se racontèrent également leurs petits malheurs ; ces moments de vie imprévus, ratés mais anodins qui, après coup, se révélaient drôles. Des sortes de « comiques de situation » à la Charlot. Tchavolo appréciait la compagnie d'Esther. Son espièglerie et la finesse de ses propos le séduisaient.

Au bout d'une dizaine de minutes, nous revînmes avec une pile de vinyles soigneusement sélectionnés et une valise tourne-disque des années 70. Je commençai par passer mon premier choix : l'ouverture de La Pie Voleuse de Gioachino Rossini. Un air enjoué, tonitruant et entraînant qui ravit Esther. Puis Josef me demanda de lancer la cinquième Danse Hongroise de Brahms. Il l'avait retenue pour Tchavolo, sûr que la mélodie ferait écho au patrimoine culturel manouche dans lequel il avait grandi. Ce fut le cas. Le jeune homme finit par se lever et entamer un pas de kazatchok dans la pièce, encouragé par nos battements de mains. Il aperçut alors le ukulélé que

Josef avait accroché en décoration à un mur de son bureau. Tchavolo alla le chercher et demanda s'il fonctionnait.

« Je suppose que oui, lui assura Josef. Je l'avais acheté plus comme un objet d'art mais c'est un véritable instrument. Par contre, les cordes sont sûrement un peu fatiguées. Tu sais t'en servir ?

— Un peu… » répondit Tchavolo modestement, en s'asseyant sur un fauteuil.

Nous le regardâmes accorder l'instrument à l'oreille. Ses gestes étaient rapides et précis.

Puis le jeune homme attaqua l'air de Minor Swing[7]. Ses doigts virevoltaient avec virtuosité sur le manche du ukulélé. La dextérité et le sens du rythme de Tchavolo étaient impressionnants. Son talent coupait le souffle. Il enchaîna avec d'autres morceaux de jazz manouche.

Lorsqu'il s'arrêta de jouer, nous étions tous les trois abasourdis. Une telle démonstration témoignait de nombreuses années de pratique de cette petite guitare.

« Tu es un joueur exceptionnel, Tchavolo ! Jamais je n'aurais cru que l'on pouvait faire ça avec un ukulélé », lança Josef.

Esther restait bouche bée, regardant le jeune homme avec admiration.

Au cours de ma vie, j'avais tenté l'apprentissage de plusieurs instruments de musique. Du piano à l'accordéon en passant par le saxophone et l'harmonica. Mais rien n'y avait fait. J'avais toujours fini par décrocher. Il me manquait soit une souplesse dans les mains que d'anciennes fractures des poignets ne m'autorisaient plus, soit une intuition mélodique qui semblait incompatible avec mon approche trop rationnelle de l'interprétation de la partition. J'aimais écouter la musique instrumentale et rêvais d'en jouer. Mais cela m'était, hélas,

---

[7] *Standard du jazz manouche composé par Django Reinhardt et Stéphane Grappelli en 1937*

parfaitement impossible. J'avais, d'ailleurs, fini par abandonner toute velléité dans ce domaine bien que l'idée d'apprendre à faire sonner la cornemuse me trottait toujours en tête. Pour toutes ces raisons, la performance de Tchavolo m'impressionna fortement.

« Tu as le swing dans la peau et la maîtrise d'un professionnel. C'est évident… Pourquoi n'en fais-tu pas ton métier ? Tu aurais sûrement beaucoup de succès ! » ajoutai-je.

Le jeune homme posa l'instrument sur la table devant lui. Comme à regret.

« Non… Tout ça, c'était avant…

— Avant quoi ? répliqua Esther.

— Avant que je ne quitte le camp. Maintenant, tout ça est derrière moi. Je suis passé à autre chose...

— À t'entendre jouer, je dirais pourtant que ton âme est encore là-bas... » dit poétiquement Josef.

La tête penchée en avant, Tchavolo n'avait pas détaché son regard du ukulélé. Son visage était devenu grave et son dos s'était légèrement voûté. Il me sembla que le jeune homme portait une sorte de fardeau sur ses épaules.

« Je ne sais pas, répondit-il. J'ai plutôt l'impression qu'elle s'est perdue en route. Et moi avec. J'ai voulu quitter la vie manouche parce qu'elle me semblait trop grégaire, pas assez ouverte sur l'extérieur. Pour échapper aussi au souvenir de mon frère… Je suis parti et j'ai réussi à vivre comme un gadjo. Mais je ne me retrouve pas non plus dans cette existence-là. Elle est trop matérialiste et trop figée pour moi... Elle ne me rend pas heureux. Je me sens comme un naufragé qui dérive sur l'océan sans rien contrôler. »

Une larme roula sur sa joue mal rasée.

Cela ne me ressemblait pas mais je fus touché par la confession de Tchavolo. Je comprenais ses doutes et son impression d'échec. J'avais vécu des sentiments similaires au début de ma vie de divorcé, avant de discerner enfin quel type d'existence pouvait me convenir. Pour mon cas, il s'était agi d'un passage, d'une renaissance. Tchavolo me faisait davantage penser à Ulysse, tourmenté par l'impérieux désir de retrouver Ithaque qu'il avait tant souhaité quitter.

« Et pourquoi n'essaies-tu pas de conjuguer les deux ? Ton côté manouche et ton côté gadjo comme tu dis... Tu vois ? C'est juste une idée en l'air, mais il y a peut-être un moyen de ne pas avoir à choisir l'un ou l'autre ? » lançai-je spontanément.

Le jeune homme tourna lentement son visage ténébreux vers moi.

Je sentis qu'il n'avait pas la réponse à ma question mais que celle-ci n'était pourtant pas idiote à ses yeux.

*****

Un peu plus tard, comme un rituel bien établi alors même que nous ne nous vivions ensemble que depuis une journée seulement, Josef nous rapporta de sa réserve une vieille bouteille d'armagnac. Nous trinquâmes aux doigts agiles de Tchavolo et, sur l'idée d'Esther, poursuivîmes l'exercice confessionnel de notre précédente soirée où nous nous étions raconté un mauvais souvenir. La jeune femme pensa que, cette fois, chacun de nous pourrait narrer aux autres l'un de ses rêves d'enfance.

Comme l'avait fait Josef la veille, elle se lança la première :

« Quand j'étais gamine, nous vivions dans un petit appartement de la banlieue parisienne. Mon quotidien d'écolière, c'était la grisaille de la pollution, le béton des barres HLM et le goudron des routes. À cette époque, je n'avais qu'un rêve : m'échapper de la ville et vivre à la campagne dans une ferme avec plein d'animaux. Ce rêve se réalisait parfois pendant les vacances car mes grands-parents avaient une ferme dans le Périgord. J'adorais y aller ! »

Esther souriait en parlant. Elle avait eu cette chance de pouvoir toucher du doigt son désir d'enfance et d'échapper, par intermittence, à la réalité du quotidien.

« Et puis finalement, ce souhait est passé avec l'adolescence, poursuivit-elle. Ma vie d'aujourd'hui est même complètement à l'opposé de ce besoin de nature et de bestioles qui m'habitait... »

Et son sourire finit par s'évanouir.

« Plus tout à fait, ajouta Josef en lissant sa barbiche blanche. Cette maison était une ancienne métairie. D'après les reliques agricoles que j'y avais trouvées en rachetant le bâtiment, je pense qu'il y a eu ici une activité à la fois avicole et piscicole. Donc, tu peux considérer que tu es à nouveau à la ferme, Esther... »

La remarque du vieil homme amusa la jeune femme.

Dehors, une chouette hulotte lança son cri dans la nuit et me fit sursauter.

« C'est un chat-huant, Roland. Le locataire du dessus… » me dit Josef, narquois.

Tchavolo ajouta : « Je crois que, dans vos superstitions, la chouette porte malheur. Mais, pour beaucoup de gitans, elle est signe de beau temps et accompagne les sorciers. »

Nous regardâmes le jeune homme. Son visage s'éclairait à nouveau. Il poursuivit :

« D'ailleurs, c'était mon rêve d'enfant, ça ! Être un sorcier avec des pouvoirs magiques. Je me fabriquais des bâtons magiques et, quand je pouvais, j'allais me balader dans des lieux un peu mystérieux.

— Tu ne devais pas être le seul… On était en plein dans le phénomène Harry Potter, fit remarquer Esther.

— Oui… Mais je ne l'ai su que bien longtemps après. Mes parents n'achetaient pas de livres. Je crois plutôt que c'étaient les histoires que ma grand-mère me racontait qui m'ont inspiré.

— Et alors ? Tu as des pouvoirs magiques ? » lui demandai-je.

Tchavolo me regarda en joignant ses mains devant lui.

« Oui… Parfois, je vois des événements du passé que je ne connaissais pas ou, même, du futur. Comme si une porte s'ouvrait dans mon esprit un court instant. Mais aujourd'hui, ça fait longtemps que ça n'a pas eu lieu…

— Je veux bien te croire, Tchavolo. Je suis scientifique et j'ai toujours pensé que c'était des fadaises jusqu'au jour où mon foreur m'a montré comment détecter des réseaux enterrés avec une baguette de soudure coudée. Et j'y arrive… » ajoutai-je.

Je n'allai pas plus loin dans mon récit mais cette découverte sur moi-même me fit remettre en question beaucoup de certitudes que ma formation scientifique pure et dure m'avait inculquées. Dès cet instant, la vie me parut bien plus poétique, la nature plus mystérieuse et dense que je ne les avais jamais envisagées.

Josef rebondit sur ma réflexion :

« Le surnaturel baisse comme un lac qu'un canal épuise : la science à tout moment recule les limites du merveilleux, a écrit Guy de Maupassant[8]. »

Je ne connaissais pas cette citation mais en approuvai la formulation. Plus jeune, j'avais été un farouche défenseur du cartésianisme et du rationalisme scientifique. Je les avais considérés comme le seul outil valable contre les croyances moyenâgeuses qu'avait véhiculées la religion pendant des siècles. Je m'étais complètement retrouvé dans le personnage de Guillaume de Baskerville du roman « Le nom de la

---

[8] *« La peur », Guy de Maupassant*

rose » d'Umberto Eco. Pour moi, le mot merveilleux était alors synonyme d'obscurantisme.

« Et toi, Roland ? C'était quoi ton rêve de gosse ? » m'interrogea Tchavolo.

Porté par l'alcool qui m'enivrait un peu et les agréables récits de mes compagnons, je me livrai plus facilement que la veille.

« Cela va vous paraître étrange… Je voulais devenir écrivain-aventurier. Un peu comme une sorte d'Ernest Hemingway ou de Henry de Montfreid. Raconter une vie aventureuse que j'étais loin d'avoir, sur une vieille Remington… Mais, bizarrement et probablement par atavisme familial, je me suis orienté vers des études scientifiques et le métier d'ingénieur. À l'opposé de la littérature…

— Ça ne t'empêche pas d'écrire… me lança Josef.

— Certes… Mais je ne suis pas convaincu d'avoir le talent nécessaire et de trouver une histoire suffisamment bonne pour intéresser un lecteur. »

Je fis tourner le liquide ambré dans le fond de mon verre. Ses reflets chatoyants caressaient mon regard. Je songeai que ma vie avait longtemps été comme ce tourbillon d'Armagnac qui dansait dans le creux de ma main. Et que, pendant des années, je m'étais laissé entraîner dans cette roue sans vraiment envisager de m'y échapper. La réponse que j'avais fournie, à l'instant, à Josef était digne de cette époque révolue. Elle m'était venue par réflexe alors qu'en réalité je cherchais depuis peu à revivre des sensations du passé. Je me dis qu'assouvir ce lointain désir d'accoucher d'un roman sur une antique machine à écrire pouvait tout aussi bien s'intégrer dans cette démarche. Qu'il me fallait juste faire preuve d'imagination.

« Monter dans un dirigeable ! » s'exclama le vieil homme.

Tous nos regards se tournèrent vers lui.

« Oui… Les dirigeables me fascinaient quand j'étais gamin. J'avais eu l'occasion d'en voir passer dans le ciel. À l'époque, ils faisaient la liaison Berlin-Cracovie. Un jour, mon père m'avait emmené voir le décollage d'un de ces monstres d'aluminium. Il s'agissait d'un Zeppelin, un peu comme celui qui a pris feu aux États-Unis en 1937. C'était absolument incroyable de voir une structure aussi gigantesque s'élever dans les airs. »

Je me souvenais de ces images de l'incendie du dirigeable Hindenburg, sur son mât d'amarrage à Lakehurst. L'explosion de l'enveloppe emplie de dihydrogène avait été spectaculaire et marqua un coup d'arrêt à l'exploitation commerciale des aérostats pour le transport de passagers.

« Je n'aurai jamais pu réaliser ce rêve… Bien plus tard, ma femme Lucienne m'a offert un baptême en montgolfière pour mes cinquante ans. C'était formidable mais je pense que les sensations devaient être encore différentes dans un dirigeable. »

Le vieil homme partit farfouiller dans son bureau et nous rapporta un livre de photographies. Il nous montra celles de son vol en montgolfière. On y apercevait l'épouse de Josef : une grande femme avec une longue chevelure bouclée et un port de tête redressé. Sur certaines prises de vue, elle me faisait penser à Meryl Streep dans le film Out of Africa.

« Lucienne était vraiment ravissante, Josef. Toi aussi, tu étais un sacré beau gosse… » dit Esther.

Le vieil homme resta silencieux. Il s'éloigna, faisant mine d'activer le feu dans la cheminée. Je le regardai pendant que Tchavolo et Esther feuilletaient l'album photo. Il me sembla apercevoir une larme couler sur sa joue.

Deuxième jour

J'avais entendu Josef rouler en fauteuil une bonne partie de la nuit. Manifestement, il n'avait pas trouvé le sommeil.

Lorsque je me levai, le vieil homme semblait avoir eu une discussion animée avec le fantôme de Lucienne. Il scrutait fixement l'horizon à travers la porte-fenêtre de la salle à manger. Une légère brume matutinale parait le ciel d'une délicate blancheur lumineuse et veloutée. L'étendue liquide qui nous cernait lançait par endroit des éclats argentés. Au loin, le vol d'une oie se posant sur l'eau fendit ce miroir aquatique. Esther et Tchavolo dormaient encore. Plus jeunes donc moins matinaux que nous, ils rataient cette fresque improvisée de la nature qui s'éveille.

Je saluai Josef puis, discutant avec lui de tout et de rien, observai ses expressions de visage. Son regard était inquiet. Je lui trouvai dans les yeux la même lueur d'angoisse que celle de notre première soirée de claustration.

Me disant que nos échanges de la veille avaient probablement réveillé en lui des souvenirs douloureux, je fis mon possible pour l'entraîner dans une conversation anodine et propre à lui changer les idées. De fil en aiguille, nous finîmes par disserter ensemble sur la notion de modernité.

Je lui exprimai mes inquiétudes vis-à-vis des jeunes générations qui avaient grandi dans un flot continu d'informations déversées par les réseaux sociaux. Qu'elles soient vraies, fausses, inutiles, pernicieuses ou calomnieuses. Globalement, il me semblait qu'une certaine forme d'esprit critique, communément partagée jusqu'à la fin du vingtième siècle, avait totalement disparu. À mes yeux, la modernité s'était détachée du progrès et avait conduit à un abrutissement et une sorte de narcissisme généralisé de la population occidentale adolescente et adulescente.

Josef m'expliqua alors que ma façon de voir les choses se rapprochait des théories de Christopher Lasch, elles-mêmes inspirées des pensées de Guy Debord et de Carl Gustav Jung. Celui-ci considérait que la plupart des individus, faute d'un capital culturel suffisant, étaient incapables de mener la moindre introspection ni de faire preuve d'esprit critique face à la culture de masse. Ils étaient, de fait, dans l'obligation de se donner une image d'eux-mêmes superficielle et fausse conduisant à un individualisme narcissique. Puis, Josef me dit que, pour lui, la crise de la modernité était apparue avec la Première Guerre mondiale, lorsque les progrès de la technologie avaient été utilisés contre l'Homme.

« Une intellectuelle de l'entre-deux-guerres avait résumé la situation ainsi : l'industrialisation est un symptôme de décadence intellectuelle et morale[9], ponctua-t-il. Cependant, je te trouve très pessimiste, Roland. L'être humain a toujours su s'adapter aux changements de son environnement, qu'ils lui aient été imposés ou qu'il les ait créés lui-même. Que ce soit sur le plan environnemental ou sociétal. Je pense que notre civilisation s'adapte, tout autant que par le passé, avec ses avancées et ses régressions. On peut juger que les évolutions auxquelles on assiste sont plaisantes ou déplaisantes mais, dans tous les cas, elles vont, à mon avis, dans le sens de la meilleure adaptation possible de l'espèce humaine au changement. »

L'optimisme de Josef était rassurant. Mais son opinion nous mettait tous deux définitivement dans le camp des « has been » archaïques incompatibles avec l'époque contemporaine. Et peut-être n'avait-il pas si tort que ça…

*****

---

[9] *« La rançon du machinisme »*, Gina Lombroso, 1930.

En début d'après-midi, après que nous eûmes passé un déjeuner agréable et bien arrosé, je m'installai dans le salon pour bouquiner un recueil de poésies de Victor Hugo trouvé dans la bibliothèque.

Pendant ce temps-là, Tchavolo faisait la sieste sur son couchage de fortune, Esther essayait de capter un bulletin d'actualités sur le poste radiophonique délabré du vieil homme et Josef sortait faire un tour de fauteuil roulant autour de la maison pour prendre l'air.

Nous nous occupions comme nous pouvions, contraints d'attendre que le niveau de l'eau baisse autour de nous ou que des secours viennent nous tirer de là. J'avais évité d'aborder le sujet avec les autres mais je pensais qu'il fallait que nous reconsidérions notre situation. À l'évidence, nous étions partis pour rester coincés sur place pendant de nombreux jours : la cote d'inondation n'avait pas diminué d'un centimètre en une journée. Nous parvenions à cohabiter sans trop de difficultés, mise à part mon engueulade de la veille avec Esther. Toutefois, je doutais que cela tînt encore très longtemps. Tôt ou tard, nous serions contraints de prendre les choses en main pour nous extraire des marécages. Et, selon moi, il était préférable d'y réfléchir rapidement, sans attendre d'être obligé d'agir dans la précipitation et l'impréparation.

Je me rappelai alors que Josef nous avait dit que la maison était une ancienne ferme piscicole. Peut-être avait-il toujours dans son garage les embarcations qui servaient à l'époque de cette exploitation ?

Afin d'en avoir le cœur net, je sortis de la bâtisse pour retrouver le vieil homme et lui poser ma question. Le temps était venteux et froid. Un soleil oblique projetait les ombres graciles du branchage des arbres sur la façade de la longère. Je fis le tour de la maison. Aucune trace de Josef. Interloqué, je me mis à l'appeler. Plusieurs fois. À la faveur d'une courte accalmie des rafales, un faible cri parvint à mes oreilles. Il semblait provenir de derrière l'épais rideau d'aubépines qui délimitait une partie du terrain. Je me précipitai et pénétrai dans une trouée étroite aménagée entre deux troncs d'arbres. Elle paraissait être le passage d'un ancien chemin. Je franchis la haie épineuse sans effort et débouchai sur la plaine inondée qui nous isolait du reste du monde.

Devant moi, un sentier surélevé se laissait deviner juste sous la surface de l'eau et filait vers le large de cette mer intérieure. De place en place, des toupets buissonneux alignés et exondés dessinaient sa trajectoire sur le miroir lacustre. Mon regard suivit ce tracé suggéré par la végétation jusqu'à tomber sur une roue de fauteuil roulant, sortant des flots à l'horizontale. À côté, agrippé à un arbrisseau, Josef peinait à maintenir ses épaules au-dessus de la masse liquide prête à l'engloutir.

« Bordel de merde ! Josef ! Je suis là, j'arrive ! » m'exclamai-je.

Je m'élançai sur le chemin submergé. La vase que je soulevais à chaque enjambée m'empêchait de voir si le sol ne s'enfonçait pas subitement devant moi. J'avançais donc aussi vite que possible en tâtonnant et chutais dans l'eau boueuse à chaque fois que j'essayais d'accélérer le rythme.

J'avais environ cent mètres à parcourir pour atteindre Josef. À mi-chemin, j'entendis qu'on appelait derrière moi. Esther, suivie par Tchavolo, s'était lancée à mes trousses. En moins d'une dizaine de minutes, je parvins à rejoindre le vieil homme qui commençait à lâcher prise.

Je l'étreignis sous les aisselles et le soulevai en tentant de le charger sur mon épaule comme un sac de sable. Mais le bord du chemin se déroba sous mes pieds. Tête la première, je partis en vol plané dans l'eau glacée, entraînant avec moi Josef. Le vieux paraplégique coula presque instantanément sous les remous vaseux. Lorsque je parvins enfin à prendre pied et sortir le buste de l'onde, Josef avait disparu. Paniqué, je me mis à fouiller devant moi la masse marécageuse opaque avec les mains et les pieds.

Esther et Tchavolo m'avaient rattrapé. Du haut de sa grande taille et de la surélévation du chemin, le jeune homme pouvait distinguer l'ombre du corps de Josef à travers les flots marronnasses. Il nous indiqua où il se trouvait. J'étais trop loin et à moitié envasé. Esther plongea dans l'étang et sortit la tête de Josef hors de l'eau. Par miracle, le vieillard était conscient et n'avait pas bu la tasse. Elle le ramena vers le sentier où Tchavolo avait déjà remis le fauteuil roulant dans une position plus orthodoxe. Luttant contre la succion du fond meuble et mouvant du lac qui s'était liquéfié sous l'effet de mes gestes agités, je tentai vainement de les rejoindre. Esther poussa Josef sur le bord du chemin immergé. Puis elle vint à ma rencontre pour m'aider à me dépêtrer de la boue qui enserrait mes genoux. Tchavolo souleva le vieil homme et l'installa sur son fauteuil.

« Non, Esther ! Ne viens pas ! Tout est instable où je suis ! » lui criai-je.

Elle s'arrêta à deux mètres de moi, prit une grosse branche qui flottait à la surface des flots et me la tendit. Je l'agrippai. Elle tira. Nous finîmes par réussir à nous sortir de l'infâme marigot puis à regagner, tous ensemble, lentement mais sûrement, la haie d'arbres d'où naissait le chemin.

Une fois le rideau d'aubépines franchi, Tchavolo lâcha les chevaux et partit dans une fureur insoupçonnable. Son torse musculeux parut soudainement doubler de volume.

« Mieldech ! Mais, c'était quoi ça ! Espèce de vieux cinglé ! Est-ce que tu te rends seulement compte qu'on a failli tous y rester à cause de toi, Josef ! » hurla-t-il sur le vieil homme qui grelottait de froid.

Puis, il nous planta sur place et rejoignit la maison en continuant de proférer des imprécations et des jurons en gitan.

« Quand lama fâché, señor, lui toujours faire ainsi… » dis-je à Josef en souriant, histoire de détendre l'atmosphère.

Ma remarque l'amusa et passa, hélas, très au-dessus de la tête d'Esther. La maîtrise des répliques des aventures de Tintin est un marqueur générationnel important. Elle échappe, à coup sûr, aux jeunes nés après l'avènement des mangas en France. Je me promis alors de lui expliquer un peu plus tard dans la journée.

Troisième nuit

Le reste de l'après-midi nous avait permis de nous remettre de nos émotions. Douches prises, nous avions porté, pendant quelques heures, des vêtements de Josef en attendant que nos affaires lavées sèchent un minimum.

Sur les indications du vieil homme, j'avais exhumé du fourbi de son garage une barque en assez bon état. Il s'agissait d'une plate typique de la navigation dans les canaux et marécages peu profonds du Berry et du Poitou. J'expliquai aux autres que, au vu de notre situation, il valait mieux l'avoir en état de marche qu'enfouie sous un tas de bric-à-brac. Esther et Tchavolo, dont la colère était retombée, acquiescèrent et m'aidèrent à la tirer à l'eau.

Je passai la fin de la journée à confectionner une perche de locomotion à partir d'une longue branche du sapin qui avait écrabouillé ma voiture. Histoire de me venger.

À la nuit tombée, Josef mit à réchauffer doucement des boîtes de confit de canard du Berry tandis que la jeune femme l'assistait en préparant une poêlée de pommes de terre.

Puis il ouvrit une bouteille de pineau des Charentes et nous invita à nous installer autour de lui et de la table basse qu'il avait pourvue d'un généreux apéritif. Avant que le vieil homme ne prît la parole, j'avais deviné que cette attention n'était pas anodine. Josef avait besoin de revenir sur ce qui s'était passé dans les marais et de s'en justifier.

Nous trinquâmes. Il se racla la gorge puis se lança :

« Bon... Je vous dois une explication. Comme disait Tchavolo, vous avez dû tous me prendre pour un vieux cinglé.

— Ouais... marmonna le jeune homme.

— C'est clair ! renchérit Esther qui ne s'était pourtant pas manifestée depuis l'incident.

— Mais pourquoi tu n'as pas demandé à l'un de nous de t'accompagner ? ajoutai-je.

— Je voulais voir le puits, répondit Josef.

— Mais, quel puits ? Et pourquoi ? m'emballai-je.

— Pour voir s'il n'était pas remonté à la surface.

— Quoi donc ?

— Pas quoi. Qui…

— Hein ? s'exclama Esther, interloquée.

— Et voilà... C'est pour ça que je voulais y aller seul. »

Josef soupira, but une gorgée de pineau et prit une grande inspiration.

« Tout cela est tellement vieux que je l'avais presque oublié depuis le temps, poursuivit-il. À la fin de l'année 1964, j'étais le superviseur opérationnel d'une chaîne hôtelière de l'ouest de la France. On m'avait envoyé gérer, pendant quelques semaines, le démarrage d'un nouvel établissement inauguré dans le centre de Tours à l'occasion des fêtes de fin d'année. Un week-end où j'étais resté sur place, le directeur de l'hôtel m'avait invité à une battue avec ses amis chasseurs dans les marais de la Brenne, à côté d'ici. C'est là que je le revis. Il faisait partie du groupe et était devenu un monsieur respectable et bien établi. La sale ordure... »

Les souvenirs remontaient à la surface. Le regard de Josef s'était contracté.

« Ernest Pitouard... rumina-t-il. Celui qui avait assassiné ma jeune sœur. Je ne pouvais pas me tromper ; son fond d'accent marseillais m'avait alerté et il avait le même tatouage sur l'avant-bras droit, la même cicatrice sur la joue, la même voix égrillarde. De retour à Paris, je me fis confirmer son identité par un détective privé. Pitouard avait bien été milicien à Marseille en 1942. Après être passé sous les radars à la Libération, il avait bénéficié des lois d'amnistie des années 50 et avait fait fortune dans la vente de matériels agricoles sur la région castelroussine. »

Tchavolo nouait et dénouait les doigts de ses mains. Trahissant sa nervosité, les muscles de sa mâchoire se contractaient par à-coups.

Les traits du visage d'Esther s'étaient étirés vers le bas. Ses yeux fixaient intensément la bouche de Josef.

Comme moi, ils avaient plus ou moins deviné la suite mais se refusaient encore à y croire.

« Je suis revenu dans la région en février 1965 pour le boulot. Je connaissais l'adresse de Pitouard. Un dimanche matin, je l'ai suivi. Il aimait venir chasser seul dans le coin. J'ai attendu qu'il sorte de sa voiture et, là, je l'ai fait se mettre à genoux, sous la menace de mon fusil. Cette fois, ce salopard se trouvait du mauvais côté du canon. Je voulais juste lui faire peur et qu'il demande pardon pour ce qu'il avait fait à ma sœur et à ma famille. Mais cet enfoiré n'en a rien fait... Avec tout le mépris de sa misérable médiocrité, il m'a traité de sale juif et m'a dit regretter qu'Hitler n'ait pas pu finir le boulot... »

Il vida son verre d'un trait.

« Boum ! Je n'ai pas réfléchi. Je ne pouvais pas. Je lui ai éclaté la cervelle. D'un coup de chevrotines. Ecrasé comme un cancrelat. C'était sur la route, là, juste devant... Puis, j'ai vu le puits de la maison au loin. J'y ai traîné Pitouard par les pieds comme un gibier et balancé dedans. Par sécurité, pour qu'on ne puisse pas l'y retrouver, j'ai acheté la maison dans les mois qui ont suivi. Et je n'ai jamais été inquiété. Un quinquagénaire veuf et sans enfants qui disparaît, tout le monde s'en fout... Voilà toute l'histoire... »

Esther et Tchavolo restèrent silencieux. Sous le coup de l'émotion.

Pour ma part, le récit de Josef ne m'alarma pas plus que ça. Il avait envoyé *ad patres* une crapule de la pire espèce qui aurait dû y passer bien avant, au moment de la Libération. Et, de toute façon, le délai de prescription était légalement très largement dépassé, même pour un crime avec préméditation. Un point, cependant, me turlupinait.

« Mais pourquoi avoir voulu aller voir le puits, tout à l'heure ? lui demandai-je.

— Ben, je l'ai dit. Pour vérifier qu'il n'est pas remonté avec l'inondation. Même si Lucienne n'est plus là, je ne veux pas que le cadavre ressorte et qu'elle l'apprenne. Je ne lui ai jamais rien dit à ce sujet, ni à personne d'autre qu'à vous maintenant… »

Les deux jeunes restèrent sans réagir à ces dernières paroles. Ils ne percutèrent pas sur l'allusion de Josef à Lucienne, trop focalisés sur l'aveu criminel du vieil homme. Je savais qu'il parlait avec le fantôme de sa femme et comprenais, de ce fait, la raison de son inquiétude et de son air angoissé de ce matin.

« Je vois… Mais tu ne crois pas que, depuis le temps, ton gars est réduit à l'état de squelette. Et vu la densité des eaux, il ne risque plus de flotter énormément… lui fis-je remarquer.

— Peut-être… Mais ça me fout quand même la trouille… »

À ce moment-là, Esther recouvra tous ses esprits et se mit à vitupérer contre nous :

« Mais attendez ! Je suis choquée là ! On parle quand même d'un meurtre de sang-froid, putain ! Tu es un assassin, Josef ! Et toi, Roland, tu nous parles d'hydraulique agricole et d'ostéologie ! J'hallucine ! »

La jeune femme réagissait selon les standards de la bien-pensance occidentale qui avaient infiltré, depuis des années, les esprits de notre société les plus perméables au manichéisme réducteur de la cyberculture. À l'instar des pouces levés ou baissés proposés par les réseaux sociaux pour commenter simplement les publications d'autrui. À l'évidence, il n'y avait pour elle aucune place pour l'entre-deux, pour cette zone grise, ni bonne ni mauvaise, dans laquelle évoluaient la plupart des sentiments et des actions de l'être humain. Depuis toujours,

Esther classait les choses de l'existence en deux catégories : le bien et le mal. Et, alors même que ces dernières semaines lui avaient montré que la vie n'était pas si simple, l'énormité des aveux de Josef la poussait, par réflexe, à revenir à ses fondamentaux et à nous juger selon ce mode de pensée binaire.

Tchavolo qui, lui, avait échappé à un tel formatage intellectuel, lâcha entre ses dents :

« T'as bien eu raison, Josef ! Si je chopais les skins qui ont tabassé mon frère, je les égorgerais tous, un par un, à la queue leu leu… »

Estomaquée, la jeune femme regarda Tchavolo bouche bée.

« Je comprends ton point de vue, Esther, répliqua Josef avec douceur. Et ce n'était pas mon intention première de lui exploser la tête. Mais, quand il m'a sorti ses dégueulasseries sur les juifs et Hitler, tout est remonté à la surface. Toutes les horreurs de la guerre que j'avais vues et subies. Je ne pouvais pas me contenir. Ce n'était pas un meurtre de sang-froid. »

Esther sembla redescendre de ses grands chevaux et l'écouta.

« Après ça, j'ai longtemps médité sur mon acte, poursuivit Josef. Pitouard était un assassin impuni et je suis persuadé que ma sœur Sarah n'était pas sa première victime ni sa dernière. La première loi d'amnistie générale prononcée par De Gaulle en 1951 ne l'aurait même pas épargné. Esther, tu trouveras sûrement que je cherche à me donner bonne conscience mais, si l'on y réfléchit bien, je n'ai fait qu'appliquer la loi du talion qui est l'un des fondements du droit depuis l'ère de Babylone ; le principe de légitime défense que l'on utilise à notre époque repose d'ailleurs là-dessus. Une raisonnable réciprocité du crime et de la peine afin d'éviter une escalade de la violence individuelle. Théoriquement, je sais que je n'ai pas agi conformément à ce que la société autorisait en 1965 et que mon acte est injustifiable mais, objectivement, je ne regrette rien. Et puis, après tout, s'il s'était excusé comme je le lui avais demandé, il aurait juste eu deux ou trois dents et quelques côtes cassées. Ce qui lui est arrivé est de sa faute, d'un bout à l'autre…

— Mouais… finit par admettre Esther.

— Mais, par contre, j'ai toujours été hanté par la peur que Lucienne ne l'apprenne. Je ne voulais pas faire peser sur elle ce fardeau des sombres atrocités de l'Occupation dont elle avait eu la chance d'avoir été préservée.

— Bon… Et, du coup, tu as pu voir le puits ? demandai-je.

— Hélas, non… J'étais pourtant sur le point de l'atteindre… Mais le bord du chemin s'est effondré sous le passage de la roue droite du fauteuil. Et, zou, je me suis retrouvé à la flotte, cul par-dessus tête…

— Faut dire aussi que ce n'est pas un tout-terrain amphibie, ton siège à roulettes, Josef ! conclus-je.

*****

La tension entre Esther et nous retomba définitivement pendant le dîner. Ne sacrifiant pas à notre rituel de fin de soirée, Josef, qui avait pris les devants en nous livrant son histoire de puits au cadavre, émit l'idée que nous nous racontions notre plus grande peur.

Tchavolo se lança presque aussitôt.

« Vous l'avez peut-être deviné tout à l'heure, quand on était en train de repêcher Josef…

— Non, répondit Esther.

— Moi, j'avais la tête sous l'eau. Je ne voyais pas grand-chose, plaisanta le vieil homme.

— Si c'est bien ce que j'imagine, je reconnais que tu as été sacrément courageux, Tchavolo ! » ajoutai-je.

Le jeune homme me sourit.

« C'est pour ça que je me suis un peu énervé contre toi, Josef. Il faut que tu saches que j'ai peur de l'eau. Je ne sais pas nager. J'ai vraiment été obligé de prendre sur moi pour avancer dans le marais avec Esther. »

Mon intuition avait été bonne. J'avais déjà remarqué la nervosité de Tchavolo quand nous étions partis en pleine nuit constater la montée du front de l'inondation. Puis, je réfléchis un instant à ce que venait de dire le jeune homme. Il confondait la peur de l'eau, l'aquaphobie, et celle de la noyade, l'ablutophobie. S'agissait-il même d'une aversion ? Ne sachant pas nager, Tchavolo évitait les situations à risque et sa crainte était compréhensible. Mais elle n'avait pas été plus impérieuse que la bravoure dont il avait fait preuve pour voler au secours du vieux paraplégique. Sa force de caractère était admirable, tout autant que le sang-froid d'Esther à m'extraire du bourbier gargouillant dans lequel je m'étais dangereusement enfoncé.

« Toutes les eaux sont couleur de noyade[10] », ponctuai-je, en remplissant le verre de Tchavolo du rustique cognac que Josef avait tenu à nous faire découvrir.

Pour la première fois depuis le début de notre cohabitation involontaire sous le toit de Josef, je me sentais bien et heureux de partager ces moments avec mes trois compagnons de tempête. Moi qui naturellement recherchais la solitude et préférais l'isolement à la vaine compagnie humaine, je me surprenais à verser dans ce genre de sensiblerie.

« Roland, tu viens de citer Cioran. Dis-nous donc si tu as peur, comme lui, de la mort et du vide existentiel… » me demanda Josef.

---

[10] *« Syllogismes de l'amertume », Emil Cioran (1952)*

La culture du vieillard était encyclopédique. Sous une coquille de cul-terreux berrichon retraité et handicapé, se cachait un véritable trésor d'érudition.

« Non, pas vraiment, lui répondis-je, amusé. En fait, je ne suis pas d'un naturel particulièrement inquiet ou angoissé…

— Je veux bien l'entendre, pourtant tu n'es pas encore rendu à la fin de ton existence. Donc tu as forcément des peurs. Milan Kundera disait que la source de la peur est dans l'avenir et qui est libéré de l'avenir n'a rien à craindre, me rétorqua Josef.

— C'est juste… Il y a une chose qui m'inquiète parfois. Ce sont mes enfants. J'ai peur d'avoir reproduit avec eux ce que j'ai vécu dans mon enfance. »

Ma gorge se serra brusquement. J'en fus surpris et m'arrêtai pour respirer quelques secondes silencieusement. Les autres avaient perçu mon émotion. Ils me regardaient avec un air de compassion à la fois grave et sincère.

« Le manque de gestes affectueux, la froideur des sentiments, des exigences intellectuelles disproportionnées, repris-je. J'ai pourtant essayé de ne pas tomber dans les mêmes travers que mes parents. Je pense y être un peu parvenu mais, maintenant que mes gamins sont devenus adolescents, j'ai peur de n'avoir pas assez fait et qu'il soit trop tard pour me rattraper. C'est même plus un regret qu'une crainte. »

Mon regard se voila. Sous l'effet de l'alcool ou de la fatigue, mes yeux s'embuèrent. Naturellement indisposé par les effusions incontrôlées, je me levai instinctivement et mis une bûche dans le feu de cheminée qui n'en avait pas besoin. Histoire de retrouver la maîtrise de mes nerfs et d'essuyer plus ou moins discrètement mes pommettes humides.

Aucun de mes comparses ne fut évidemment dupe de ma manœuvre d'évitement.

Josef reprit la main sur notre conversation :

« J'ai foiré dans les grandes largeurs avec Audrey, donc je devrais sûrement me taire. Mais, si j'étais toi, je ne m'inquiéterais pas trop. Après tout, tu me sembles t'en être assez bien sorti toi-même… »

Esther me regarda, me sourit et ajouta :

« Le parent parfait n'existe pas, Roland. Que ce soit par Freud ou Dolto, la psychologie a montré que, généralement, les enfants reprochent tôt ou tard à leurs parents d'avoir mal fait. Par ailleurs, il ne faut pas oublier que la relation parent-enfant est aussi une relation enfant-parent. Dans ton cas, Roland, ton enfance ne t'a pas convenu mais peut-être qu'elle aurait convenu à un autre que toi. Tout ne repose pas que sur les parents dans cet équipage diabolique… D'ailleurs, on constate assez souvent que les enfants, lorsqu'ils procréent à leur tour, se mettent à comprendre et à pardonner les erreurs qu'ils reprochaient avant à leurs propres pères et mères… »

Les remarques d'Esther me touchèrent par leur justesse. Sa mise en perspective était intéressante et, je dois bien l'avouer, ses paroles me réconfortèrent.

Tchavolo fit une tournée de cognac qu'il acheva sur Esther.

« Il ne reste plus que toi, lui dit-il. Quelle est ta peur, gavali[11] ?

— Difficile à dire. J'en ai beaucoup, tu sais. Peur de tomber malade ; peur de finir ma vie toute seule ; peur de recommencer une nouvelle vie et de me casser à nouveau la gueule ; peur de continuer, encore et encore, à faire les mauvais choix ; peur de revoir mes parents…

— Pourquoi as-tu peur de tes parents ? Parce que tu t'es engueulée avec eux, il y a longtemps ? Du temps est passé depuis, non ? »

Le courant passait entre Esther et Tchavolo. Ils étaient comme deux âmes sœurs. Cela me crevait les yeux à chaque fois que je les voyais ensemble. Je ne savais pas s'ils s'en rendaient compte eux-mêmes.

---

[11] *« Fille, jeune femme » en langue gitane*

Je jetai un regard furtif à Josef. Il me sembla que lui aussi s'en était aperçu. Aucun de nous deux n'intervint dans le récit de la jeune femme.

Elle poursuivit :

« Ce n'est pas par rapport à cette engueulade. C'est vrai qu'elle a été intense mais je pense qu'ils m'ont pardonné mes paroles.

— Ben alors ? Tu as peur de quoi ? l'interrogea Tchavolo.

— De les décevoir… Je ne leur ai pas dit que j'ai été virée.

— Ça peut arriver à n'importe qui. Tu n'as pas à avoir honte. Sauf si tu as vraiment fait de la merde…

— Ça dépend du point de vue.

— Vas-y… Explique.

— J'étais assistante en ressources humaines dans la filiale d'une grosse boîte américaine au Mans. En pratique, je faisais un boulot d'adjointe du directeur, expliqua la jeune femme. Un jour, le siège social de Boston a demandé de « dégraisser » les effectifs. À partir de là, les basses manœuvres n'ont pas tardé... Mon patron m'a ordonné, par mail interne, de constituer des dossiers sur une liste d'employés syndiqués en leur trouvant des motifs de faute professionnelle, quitte à les inventer de toutes pièces. J'ai refusé tout net. Le directeur m'a dit que j'étais virée sur le champ. Avant de partir, j'ai imprimé le mail et l'ai distribué dans toute l'usine. Voilà. Fin de l'histoire. »

Nous restâmes silencieux quelques secondes.

Esther regardait ses pieds. Elle paraissait porter sur ses épaules le fardeau d'un péché mortel.

« Est-ce qu'aujourd'hui tu regrettes d'avoir fait ça ? » lui demandai-je.

Elle redressa la tête et me fixa, ses yeux d'émeraude brillant de colère.

« Tu sais, Esther, contrairement à ce que tu penses, je suis persuadé que tes parents seraient très fiers de toi. En tout cas, moi je le suis… » la réconforta Josef, d'une voix énergique.

Troisième jour

Un orage s'était abattu sur nous en fin de nuit. Le grondement du tonnerre m'avait réveillé.

Je m'étais levé et avais contemplé le spectacle du feu roulant d'éclairs. Un coup de tabac pilonnait les terres humides et désolées de la Brenne. La foudre zébrait le ciel encombré de nuages sombres et épais. Les éclats de lumière impulsaient à cette aurore ténébreuse un rythme de cœur malade. Des bancs de brume déchirés étaient brièvement illuminés, de temps à autre, comme sous les spots de la rampe d'éclairage d'une salle de théâtre dont le machiniste serait devenu fou. J'assistais à la comédie improvisée des éléments naturels. À une reconstitution de la création du monde interprétée par Thor, Jupiter et Raiden.

« C'est beau ! On dirait un paysage de Boudin », chuchota Esther que je n'avais pas entendu venir.

Elle s'était installée comme moi, à la fenêtre voisine du salon, et observait la scène, fascinée. En convoquant ainsi l'artiste avec nous, elle me laissait entrevoir les sentiments que ce spectacle lui inspirait.

J'étais surpris par sa remarque et n'avais pas imaginé qu'elle puisse s'y connaître dans le domaine des beaux-arts. Son avis était pertinent. Eugène Boudin avait été le peintre, par excellence, des cieux de Normandie, lourds de nuages gris et lumineux.

« C'est vrai, tu as raison… On retrouve l'esprit de ses compositions. Mais l'artiste qui s'est le plus penché sur la représentation des tempêtes et des orages est indubitablement Joseph Vernet. »

J'étais content d'avoir cette discussion avec Esther et me promettais d'échanger plus tard avec elle sur la peinture en général.

« C'est aussi l'orage qui t'a réveillé ? l'interrogeai-je.

— Non… C'est Josef. Il a beaucoup toussé cette nuit.

— Ah ? Je n'ai rien entendu. Au sujet de Josef, est-ce que tu m'accompagnerais vérifier son puits avec la barque ? Je pense que ça le rassurerait.

— Si tu veux. Mais à condition que tu rames… »

*****

Le soleil réapparut en fin de matinée. Esther et moi nous lançâmes sur l'étendue marécageuse en début d'après-midi. Son niveau avait baissé d'une dizaine de centimètres depuis le début de notre réclusion.

Reproduisant de mémoire la gestuelle des gondoliers que j'avais pu contempler quelques années auparavant lors d'un voyage à Venise, je pris assez rapidement le pli pour propulser et guider notre longue barque à fond plat. La principale difficulté était d'éviter les obstacles à peine submergés tels que les arbustes ou les poteaux de clôture. Ils se laissaient deviner au dernier moment sous la surface de l'eau et je dus plusieurs fois m'arc-bouter brusquement sur la perche pour incliner notre trajectoire et ne pas les percuter de plein fouet.

Suivant les indications de Josef, nous fîmes le tour du tertre sur lequel était bâtie la maison et longeâmes le chemin inondé. Dépassant l'arbuste auquel le vieil homme s'était accroché la veille, nous finîmes par trouver la margelle du puits surgissant à peine au-dessus des flots. Elle dessinait un cercle de briques moussues cernant un disque aquatique sombre. Nous nous penchâmes par-dessus le franc-bord de la plate pour l'inspecter. Aussi loin que pouvait porter notre regard à l'intérieur de la cavité, rien ne flottait entre deux eaux. Ni cadavre ni ossements. Josef pouvait à présent dormir sur ses deux oreilles.

« Maintenant que nous sommes là, je te propose de rentrer en faisant un détour par l'ambulance de Tchavolo, me suggéra Esther.

— Pourquoi pas… On verra si on peut y récupérer des médicaments ou des objets de premiers soins. »

Me rappelant approximativement où j'avais vu briller les gyrophares de l'engin lors de la nuit de la tempête, je reconstituai mentalement sa position par rapport à nous. Il fallait que nous contournions notre île de naufragés et un bosquet de peupliers pour l'atteindre.

Fendant l'horizontalité marécageuse comme le diamant d'une roulette de vitrier sur un miroir, je guidai notre barque dans cet espace éphémère qui n'appartenait qu'à nous deux. Nous avancions par à-coups, comme une araignée d'eau sur un étang. Légèrement contrarié par le délicat clapotis de notre sillage, le silence qui nous entourait semblait irréel. Le cours de la vie paraissait avoir été mis sur pause.

Une grosse truite sauta devant l'étrave de notre frêle embarcation. Se propageant loin en face de nous, l'onde de son remous fit vibrer les couleurs de ce paysage d'aquarelle.

Nous longions doucement la limite occidentale des terres exondées de la demeure de Josef. Depuis cette berge, Tchavolo et Josef nous regardaient passer, à la fois amusés et inquiets. Le vieil homme avait des quintes de toux que je trouvais de plus en plus violentes.

Une haie vive se dressa alors devant nous, dépassant des flots de quelques dizaines de centimètres et impossible à franchir pour notre esquif. Nous dûmes bifurquer et longer l'obstacle vers le large. Soudain, à notre passage, un fracas de branches s'échappa de l'alignement végétal émergé. Je stoppai la plate et nous cherchâmes du regard ce qui avait provoqué autant de bruit.

Esther le vit en premier. De l'autre côté des arbustes, un animal s'enfuyait à la nage dans l'immensité liquide. C'était un chien, affolé et probablement blessé ou épuisé car il avançait dans l'eau avec une difficulté croissante. À ce rythme, il n'allait pas tarder à se noyer.

Bloqués par la haie, Esther et moi ne pouvions venir à son secours. La jeune femme se tourna vers nos comparses restés à terre et leur hurla :

« Là, il y a un chien ! Il va se noyer ! »

Tchavolo hésita quelques secondes et regarda Josef.

« Tu peux le faire ! Tu es grand et, à cet endroit-là, tu as sûrement pied, lui expliqua le vieil homme. Et il n'est pas très loin. »

Tandis que je m'activais pour contourner la haie le plus rapidement possible, la bestiole se débattait de plus en plus. Sa fin était proche.

Tchavolo ne supportait pas cette vision. Sous les encouragements d'Esther qui hurlait comme une damnée, il finit par s'élancer de toute sa masse vers le chien.

« Mieldech ! Mieldech ! » souffla-t-il en pénétrant dans le lac glacé.

Après une énergique course ponctuée de sauts entravés par l'eau, de chutes à plat ventre dans la fange boueuse et de bordées de jurons, il parvint à rejoindre l'animal avant que celui-ci ne disparût sous les flots. Il le serra contre lui et attendit que notre barque vienne à sa hauteur.

Alors qu'Esther s'époumonait à féliciter et rassurer Tchavolo, je poussais comme un diable sur ma perche. Le jeune homme et le chien, unis dans la même frayeur, se tenaient au milieu de la nappe stagnustre, telle une sculpture improbable posée sur l'onde. La scène était à la fois irréelle et saisissante, symbole de la victoire de l'énergie vitale sur la peur et l'abandon. La force dramatique qu'elle dégageait me rappelait celle de la Barque de Dante[12] installée sur les eaux de la lagune vénitienne.

*****

Nous étions désormais cinq rescapés sur notre île de fortune.

---

[12] *Bronze de Georgy Frangulyan, 2007.*

Tchavolo avait fini par réussir à se réchauffer auprès de la cheminée tandis qu'Esther s'était occupée de sécher et nourrir le chien. Elle lui avait rapidement trouvé un nom et l'animal allait dorénavant devoir répondre au sobriquet de Torpille. Comme il s'agissait d'une sorte de Jack Russel Terrier au corps blanc et à la tête noire, j'avais d'abord proposé qu'on l'appelât Pen Duick[13], comme le bateau d'Éric Tabarly. Mais le choix d'Esther, moins intellectuel et plus affectueux, finit par emporter notre adhésion unanime.

Josef toussait de plus en plus fréquemment. Il avait beau me dire que c'était rien qu'un simple coup de froid, que ça allait passer tout seul, je n'aimais pas le son que faisait sa respiration lorsqu'il reprenait son souffle. Il me sembla que le mal dont il était atteint était plus grave qu'une banale irritation de la gorge et concernait directement ses bronches.

Quant à moi, ayant dégoté une carte topographique du secteur dans le bureau du vieil homme, je m'étais escrimé, toute la fin d'après-midi, à essayer de déduire l'emprise de l'inondation qui nous enserrait, à partir des courbes de niveau figurant sur le plan. J'avais en tête de trouver le lieu émergé le plus proche de nous et de voir s'il était possible, à partir de là, de gagner un bourg ou une ville où des secours pourraient être avertis de notre situation. Le travail avait été long et fastidieux. Mais il avait fini par porter ses fruits.

[13] *Mot breton signifiant « petite tête noire » et désignant les mésanges noires.*

Quatrième nuit

Josef eut l'idée pendant le dîner : nous allions passer la soirée à faire une partie de belote.

Cette perspective ne me déplut pas. Connaissant vaguement les règles de ce jeu de cartes, je savais qu'il nécessitait une bonne dose d'observation et d'esprit tactique.

De leur côté, Esther et Tchavolo commencèrent à protester, déclarant que c'était, à l'instar du bridge, un divertissement de vieilles dames. Mais sur l'insistance de Josef, ils finirent par céder.

Les débuts furent laborieux. Tchavolo tempêta plusieurs fois contre le dix qui n'avait rien à faire là, coincé entre l'as et le roi. Esther se moquait ouvertement des termes surannés utilisés dans le jeu. Notre partie de belote mettait en évidence le fossé que les nouvelles technologies avaient creusé entre nos générations. Josef et moi avions l'impression de faire découvrir aux deux jeunes une distraction du moyen-âge. Ils n'auraient pas été plus surpris si nous leur avions proposé de folâtrer avec un trictrac ou un bilboquet. À leurs yeux, nous étions restés figés dans le deuxième millénaire comme des fourmis de l'ère jurassique dans un morceau d'ambre.

Mais, passés ces premiers plis incertains et hésitants, ils finirent par se prendre au jeu. Alors que Josef et moi abordions chaque coup de la partie de façon analytique et prédictive, Esther et Tchavolo lançaient leurs cartes au flair, de manière improbable et imprévisible. Leur technique de béotiens nous désarçonna plus d'une fois et ne fut pas sans succès. Elle donnait raison à la citation d'Isaac Asimov : « Pour réussir, il ne suffit pas de prévoir. Il faut aussi savoir improviser ».

Ainsi, à la faveur de quelques rasades d'un rhum agricole cubain tout droit sorti de la cave de Josef, nous passâmes une agréable soirée. Elle égaya nos esprits et nous fit oublier notre isolement forcé.

Puis, Josef nous dit soudainement être trop fatigué pour continuer et alla se coucher. Sa toux s'était aggravée.

Je restai quelques instants avec Esther et Tchavolo. Il nous interpréta une mélodie slave, profonde et mélancolique, sur le ukulélé de Josef. Le thème musical n'était pas sans me rappeler des airs de Tchaïkovski ou de Prokofiev. Légèrement grisé et porté par les notes, je regardais mes deux compagnons assis côte à côte. Torpille était endormi sur les genoux d'Esther. La jeune femme était complètement captivée par Tchavolo qui ne faisait plus qu'un avec l'instrument.

Subitement, l'impression confuse d'assister à une parade amoureuse s'empara de moi. Le non-dit échappait généralement à mon entendement mais, contre toute attente, mon cerveau embrumé par l'alcool le capta comme un enfant attrape dans sa main une bulle de savon emportée par un courant d'air. Peut-être ressemblaient-elles à cela les « visions » dont Tchavolo nous avait parlé ? Décidant de ne pas interférer plus longtemps dans leur communion, je les saluai et partis bouquiner dans la pièce voisine, sur mon couchage de fortune.

Je m'étais confortablement installé et feuilletai un recueil de poèmes de Lamartine trouvé dans la bibliothèque de Josef. Il s'agissait de ses fameuses « Méditations poétiques » dont « L'isolement » était le morceau le plus connu. L'œuvre parlait d'une solitude affective et d'un sentiment d'abandon bien différents de ce que nous éprouvions dans notre situation de reclus involontaires. L'isolement que nous vivions n'était pas celui ressenti par Lamartine après la mort de son amante.

Pendant tout ce temps, Tchavolo avait continué à gratter le ukulélé et Josef à tousser, plus loin dans la maison. Puis, je m'aperçus qu'il s'était arrêté de jouer et discutait avec Esther.

Sans le vouloir, j'entendis leur conversation. Les murs étaient peu épais et mes deux compagnons ne bavardaient pas discrètement. D'une façon générale, je considérais d'ailleurs que la pudeur était la moindre des caractéristiques de cette génération de jeunes adultes habitués à téléphoner avec le haut-parleur, à adhérer sans vergogne au voyeurisme de la télé-réalité et à partager sur les réseaux sociaux les tribulations de leurs petites vies égocentrées avec des amis virtuels.

« Tu sais, ça me fait du bien de gratter les cordes, de faire vibrer les notes entre mes mains. Ça m'ouvre la tête, dit Tchavolo lentement.

— Tu peux continuer si tu veux. J'aime bien être près de toi et t'écouter jouer…

— Je pense qu'on a besoin de dormir, Esther. Et j'aime bien aussi être avec toi. Tu me plais… Mais quand je dis que la musique m'ouvre la tête, en fait, c'est que je vois quelque chose en toi… Quelque chose qui me dit que ça ne pourrait pas marcher entre nous.

— Qu'est-ce que c'est que ces conneries ! se vexa la jeune femme.

— Ne le prends pas mal…

— Tu veux que je le prenne comment ? Je ne suis pas assez bien pour toi ? C'est ça ?

— Non. Ce n'est pas ce que je pense, répondit Tchavolo avec sincérité.

— Ben alors ? C'est quoi qui te bloque ? commença-t-elle à s'énerver.

— Je peux pas t'expliquer pourquoi je ressens ça sur toi… Ça faisait longtemps que je n'avais pas eu de clairvoyance… Mais je suis sûr que ça ne collera pas entre nous comme amoureux car mon troisième œil me dit que tu préfères les filles, Esther… Tu n'y as jamais pensé ? »

La jeune femme resta silencieuse un instant.

« Tu dis n'importe quoi, Tchavolo ! Ce que je pense, c'est que t'es bourré ! » protesta-t-elle une dernière fois, avant de se lever.

Puis je l'entendis lancer un « salut, bonne nuit ! » lapidaire et quitter la pièce rapidement.

Tchavolo continua à jouer mezza voce quelques notes de blues et finit par aller se coucher à son tour.

Josef toussait toujours comme un damné.

*****

Pour je ne sais quelle raison, je me réveillai en sursaut au milieu de la nuit. Il n'y avait pourtant aucun bruit. Même pas de raclements de gorge provenant de la chambre de Josef.

Je restai allongé sur le matelas, les yeux grands ouverts. Une froide lumière lunaire emplissait la pièce. L'ombre immobile d'un feuillage se découpait sur mon duvet ; l'air était calme. Parfois, de l'autre côté de la fenêtre, une chauve-souris passait en virevoltant sur le ciel étoilé. Même dans les ténèbres, la vie n'avait de cesse d'agiter ses sujets.

Je me mis alors à penser à mon plan d'évasion. Mes recherches cartographiques de la fin d'après-midi m'avaient permis de localiser un point à atteindre. Un lieu théorique où je supposais que l'on pouvait marcher sur la terre ferme et rejoindre des secours au bout de quelques kilomètres à pied. Mais, par expérience, je savais aussi que, dans la nature, les choses ne se passent pas toujours comme on le prévoit. En particulier lorsque l'on ne les envisage que sous un unique aspect. C'était mon cas ; je n'avais à disposition que des données altimétriques. Rien de concret concernant l'ampleur de la végétation présente sur le trajet à parcourir en barque jusqu'à cet objectif. Aucune idée des éventuels courants à affronter, des possibles couloirs de vents à franchir ou du nombre de clôtures et de haies bocagères qui seraient à contourner. L'entreprise était, pour le moins, audacieuse et son issue totalement incertaine.

Brusquement, ce silence me parut imparfait. Un bruit étrange parvenait à mes oreilles par intermittence. Je me levai et, m'approchant à pas de loup de la chambre de Josef, finis par entendre distinctement ce qui m'avait inconsciemment réveillé. Sa toux s'était transformée en un râle sifflant et encombré.

Je m'assis sur le bord de son lit. Couché sur le dos, il regardait le plafond, le front en sueur et les yeux fiévreux.

« Josef ! Tu m'entends ? Tu ne te sens pas bien ? » m'alertai-je.

Le vieil homme me prit le bras. Ses mains étaient glacées. Inspirer et expirer paraissaient demander à sa petite carcasse un effort considérable. J'avais l'impression d'être un curé administrant les derniers sacrements à un mourant.

« À l'aide ! » me mis-je à m'époumoner.

Je crois bien que c'était la première fois de ma vie que j'utilisais ces mots.

Quelques secondes plus tard, je reconnus le pas lourd de Tchavolo dans le couloir, suivi de près par deux chandelles allumées que tenait Esther. La garde et l'arrière-garde venaient à mon secours.

Ils m'aidèrent à transporter le vieil homme dans le salon et à l'installer en position semi-assise dans le canapé.

Son front était brûlant et son corps grelottait. Je plaquai une oreille sur son torse et entendis distinctement un ronflement grave à la base de ses deux poumons. Cela ne ressemblait en rien au bruit de pigeonnier que je faisais gamin, lors de mes crises d'asthme allergique. Je savais que ce genre de râle pulmonaire associé à de la fièvre trahissait le plus souvent une pneumonie infectieuse.

« Alors, quoi de neuf docteur ? » me demanda faiblement Josef, en essayant de sourire.

J'hésitai à ajouter de l'angoisse à sa souffrance. Mais il me sembla malhonnête de l'infantiliser en lui cachant la vérité. On ne peut pas bien lutter contre un ennemi que l'on ne connaît pas.

Je lui exposai mon avis sur son état de santé : en l'absence d'antibiotiques, ce n'était plus qu'une question d'heures avant qu'il ne s'étouffe dans ses propres glaires purulentes. La conclusion vint d'elle-même. Il fallait que l'un de nous aille chercher des secours de toute urgence.

Ça ne pouvait être que moi.

Quatrième jour

Lorsque le soleil pointa faiblement ses premiers rayons sur l'horizon, j'élançai vigoureusement la plate sur les eaux glacées de l'inondation.

Dans l'heure qui avait précédé cet appareillage de fortune, ma volonté avait été galvanisée par Esther et Tchavolo. De telle sorte que les mesures les plus énergiques du troisième mouvement de la symphonie pathétique de Tchaikovsky me vinrent à l'esprit alors que mon frêle esquif fendait l'onde marécageuse et sournoise. J'étais un cosaque qui partait lutter contre les éléments, contre le cours des choses et contre moi-même. Rien ne pouvait arrêter ma détermination.

« De nous trois, tu es celui qui peut le faire ! » s'était exclamé Tchavolo, lorsqu'une heure auparavant, je leur avais exposé ma décision de me lancer à la recherche de secours.

Puis il s'était soudainement éclipsé, me laissant seul avec Esther et notre vieux compagnon dont la vitalité semblait fondre comme neige au soleil.

« Toi, tu ne te tromperas pas, Roland. Je le sais. Tu es braqué, taciturne, orgueilleux et chiant… Mais cela est bien peu… Tu es surtout fiable et intelligent. Et c'est inestimable. Josef ne pouvait pas espérer mieux pour lui sauver la vie », m'avait dit Esther, de but en blanc.

Deux larmes avaient perlé au coin de ses yeux.

Tchavolo était revenu avec une bouteille de vodka.

« Bois ça, frère ! Tu as besoin de force avant de partir ! »

Il avait vidé une grande rasade avant de me tendre le flacon d'alcool. Ses yeux ténébreux abritaient une flamme que je ne lui avais encore jamais vue. J'avais bu sans penser à quoi que ce soit d'autre. Le moment de l'analyse et de la réflexion était dépassé. J'allais devoir rapidement passer à l'action brute et bestiale. Le temps était compté.

« Baxtalo[14] ! » m'avait crié Tchavolo, sous le regard inquiet de Torpille.

Prenant à son tour une grande gorgée de vodka, Esther s'était alors exclamée :

« A toi ! »

Je crois que cet instant précis noua entre nous un lien puissant et particulier.

Obliquant rapidement la course de la barque pour me placer dos au soleil, face à l'Ouest, je progressai pendant presque une heure sans grande difficulté. Je n'ignorais pas que l'expédition allait être longue et que mon objectif se trouvait loin devant moi, bien au-delà de la portée de mon regard.

Une brume s'était levée sur l'étendue liquide et glacée mais, contre toute attente, le froid ne m'opprimait pas particulièrement. Je songeai alors que l'apparent acte d'ivrognerie de Tchavolo n'y était pas étranger. Le jeune homme savait y faire, probablement plus habitué que moi à lutter contre les frimas des petits matins d'hiver. La vodka me réchauffait.

Je m'arrêtai un instant de pousser sur ma perche et sortis de ma poche la carte topographique de Josef consciencieusement étudiée la veille.

Il était difficile de se repérer au milieu de ce désert lacustre. Le paysage, les déclivités du sol, les thalwegs ainsi que les étangs et les landes avaient disparu. Masqués par la masse mouvante et ondoyante sur laquelle je glissais. Toutefois, il me sembla que le gros rassemblement arboré, que j'avais commencé à contourner, correspondait à un bois

---

[14] *« Bonne chance » en langue gitane.*

figurant sur mon plan. Ce qui signifiait que ma trajectoire n'était pas trop imparfaite et que les trois quarts du chemin restaient à parcourir.

Je me remis en branle avec ardeur.

Une centaine de mètres plus loin m'arriva la première tuile. D'un coup, ma perche ne toucha plus le fond. Ce qui me privait subitement de tout moyen de contrôle sur la barque. Celle-ci continua sur son erre, comme un palet de curling glissant inexorablement sur la glace.

Je compris alors que j'avais négligé un point crucial dans l'élaboration de mon itinéraire. Dans la configuration d'une inondation aussi importante, les lacs et les étangs figurant sur la carte avaient sensiblement gagné en profondeur. Il m'était impossible de les traverser de cette façon. Un jeu d'avirons m'était indispensable et je n'en avais pas.

Planté tel un tronc mort à la dérive, je devais trouver rapidement une solution. Ramant avec les mains par-dessus le franc-bord de l'embarcation, je parvins à atteindre la houppe d'un pin maritime qui pointait hors de l'eau non loin de moi. J'arrachai une de ses branches les plus touffues et me mis à pagayer tant bien que mal avec cette espèce de balai végétal géant. Le stratagème fonctionnait mais me demandait beaucoup d'effort pour un résultat médiocre.

Deux heures plus tard, épuisé, j'avais gagné la rive opposée du lac. D'après ma carte, il m'en restait encore trois autres à franchir pour atteindre mon objectif. À ce train-là, la journée n'y suffirait pas et je n'avais pas du tout envisagé de passer la nuit sur l'eau. Le temps pressait ; la santé de Josef ne pouvait qu'aller en se dégradant. J'eus envie de hurler mon désespoir mais l'énergie me manquait trop pour en dépenser de façon si vaine.

« Parmi tous les êtres qui respirent et rampent, la Terre ne nourrit rien de si faible que l'Homme », me lamentai-je, en citant pour moi-même cet extrait de l'Odyssée.

Je bus une gorgée de la vodka que Tchavolo m'avait obligé à emporter et me ressaisis.

« Je dois changer complètement de stratégie... Il faut que je récupère vite une route et que je la suive. Au moins, je serai sûr de pouvoir continuer à utiliser ma perche », me dis-je à haute voix.

J'inspectai à nouveau la carte et modifiai mon itinéraire. Il devenait, d'un coup, sensiblement plus long en distance mais, au moins, j'étais sûr d'en maîtriser la durée. À vue de nez, je pouvais espérer m'extraire de la barque pour la tombée de la nuit.

Je rejoignis donc, tant bien que mal, la voie communale la plus proche et m'élançai en cadence au-dessus du ruban goudronné.

Trois heures s'écoulèrent. Trois pénibles heures.

Mon allure était beaucoup moins rapide que prévu car l'extrémité de la perche glissait sur la surface bitumineuse de la route. Un coup sur deux, mon appui s'échappait et je me retrouvais déséquilibré sur une barque qui tanguait maladroitement. À nouveau, mes espoirs d'en finir avant le crépuscule s'évanouissaient.

Mon intellect froid ne cessait de me titiller, de me harceler tel un bas-rouge mordant les jarrets du sanglier qu'il course. Il analysait la situation sous tous les angles et selon toutes les options que je pouvais imaginer. La conclusion était, à chaque fois, la même : échec. Je devais puiser dans mes souvenirs pour continuer à y croire. La détresse respiratoire de Josef, la confiance qu'Esther avait su me témoigner, la force de caractère que Tchavolo avait partagée avec moi. Mais mes ressources émotionnelles étaient plus faibles que le cartésianisme surdimensionné de mon esprit.

Je poursuivis deux heures de plus. Aucune terre exondée visible au lointain. Et le soleil commençait franchement à plonger sur l'horizon.

Je ressentais le désespoir et la colère des marins de Christophe Colomb sur la Pinta alors qu'ils n'avaient pas encore aperçu les côtes caribéennes.

J'entendis un « ting ! » métallique dans le fond de ma poche. Je n'y prêtai pas attention, tout occupé que j'étais à pousser sur ma perche.

Puis un second « ting ! »

« Ah ! Fait chier ce téléphone ! Ce n'est pas le moment ! »

Soudain, je réalisai.

Mon portable venait de récupérer du réseau. Je pouvais appeler les secours par un numéro d'urgence.

Je crois que je n'avais jamais crié de joie aussi fort. Des claquements d'ailes de gibiers d'eau effrayés saluèrent mon hurlement de victoire. Une victoire qui n'appartenait pas qu'à moi.

La suite des événements se déroula très vite.

Moins d'une demi-heure plus tard, un zodiac piloté par un pompier du coin vint à ma rencontre, en même temps qu'un hélicoptère du CHU de Châteauroux s'envola vers la maison de Josef. Mes trois compagnons et le chien furent hissés à bord de l'aéronef avec un treuil. On plaça immédiatement le vieil homme sous assistance respiratoire. Sa vie n'était plus menacée.

Leur échappée de la bâtisse des marais fut bien plus spectaculaire que la mienne mais nettement moins romanesque que mes péripéties de marin d'eau douce.

3ème mouvement *(Vivace non troppo)* :

symphonie pour l'absent

Symphonie : composition instrumentale
généralement vaste et
comprenant plusieurs
mouvements, où toutes les
ressources de l'orchestre
symphonique jouent ensemble.

Les jours d'après

Ce samedi 6 juin 2020, je me tenais à l'abri du soleil, sous un cyprès effilé comme un pinceau de calligraphie japonais. Un petit nuage blanc sans importance ponctuait l'azur. De minuscules oiseaux en chasse d'insectes voletaient entre les tombes du cimetière. L'air était calme, la nature apaisée. Lancée dans sa course effrénée pour croître et se multiplier, la vie explosait de vigueur tout autour de moi.

À cette époque de l'année, ce coin de terroir berrichon du parc de la Brenne semblait un pays de cocagne. Sa douceur de vivre était bien éloignée de ce que j'avais connu des lieux, cinq mois auparavant. Les paysages liquides et mornes de l'inondation avaient disparu. La tempête Iris n'avait laissé que peu de traces visibles de son passage. La désolation avait fait place au nettoyage et à la reconstruction. Le cours habituel des choses avait repris. Toutefois, ceux qui avaient enduré cette catastrophe en conservaient l'empreinte dans leurs souvenirs.

Hélas, un autre désastre s'était abattu quelques semaines plus tard. Ici, comme partout ailleurs. Au cataclysme régional avait succédé une pandémie. Le souffle destructeur de la contamination, de la souffrance, de la maladie avait balayé notre monde. La peur de la mort avait ressurgi. Comme jadis...

Cette calamité s'appelait Covid-19. Son virus était SARS-COV-2. Une dénomination bien moins poétique que « Grande Peste » ou « Grippe espagnole ». Ses effets n'en avaient pas été pour autant moins dévastateurs.

Puis le désastre avait pris fin. De la même façon qu'ici cinq mois auparavant, l'humanité pansa ses plaies et reprit sa marche. Difficilement mais sans faillir. L'immuable cycle de la destruction et de la reconstruction se répéta. Une fois encore, il ne subsistait que des souvenirs pour ceux qui avaient survécu. Souvent mauvais, parfois bons.

Mes pensées s'égaillaient dans la douce chaleur printanière dispensée par le soleil. Pénétré par l'âme des lieux, je me mis à songer à la mort. Comment faire autrement après cette catastrophe sanitaire que nous venions de traverser ?

Je ne suis pourtant pas naturellement frappé de thanatophobie. Contrairement à la peur de souffrir, celle de décéder ne m'a jamais particulièrement obsédé. Les considérations de mes congénères sur leur propre fin me semblent même occuper une part trop importante de leur activité intellectuelle. Les œuvres les plus monumentales et les plus anciennes de l'humanité en témoignent : les menhirs, les tumulus ou bien les pyramides étaient des édifices dédiés aux morts et à leur royaume. Et que dire des religions monothéistes advenues après ? Elles qui s'imposent à leurs croyants par l'unique promesse d'une vie meilleure dans un au-delà imaginaire empli de défunts.

Je suis plus sensible à l'épicurisme ou aux considérations de Sartre sur la mort, qui la posait carrément en dehors du sujet existentiel. Loin de moi le morbide fatalisme philosophique de Heidegger. Contrairement à ce penseur, je ne me suis jamais envisagé comme « un être jeté au monde pour y mourir ». Décéder ne me semble être ni un voyage ni un passage. Cette fin inévitable ne mérite pas que l'on perde son précieux temps de vivant à y songer sans cesse.

Cependant, il est des moments dans l'existence où la disparition d'un proche marque sa propre vie. La mort devient un événement d'importance. Il faut bien, alors, lui consacrer quelques pensées pour accomplir son deuil.

J'étais dans cet instant. À l'ombre d'un arbre séculaire du cimetière de Mézières-en-Brenne, je me tenais devant la tombe de Josef en attendant Esther et Tchavolo.

Nous n'avions pas cessé de rester en contact après notre épique sauvetage des marais de la Brenne.

Esther avait fini par gagner l'Aveyron et prendre son poste à la mairie de Creissels. Officiellement, on lui avait proposé de s'inquiéter des personnes âgées de la commune sur le point de devenir dépendantes. L'idée de l'équipe municipale était de retarder au maximum leur entrée en EHPAD. En pratique, Esther avait compris qu'elle devait incarner, localement, un lien intergénérationnel qui manquait cruellement à notre modèle de société. Cette mission plaisait à la jeune femme. Elle redonnait à ses yeux de la valeur à son parcours de vie.

Tchavolo avait conservé son emploi d'ambulancier au CHU de Châteauroux. Mais il était passé à mi-temps depuis début janvier. En effet, l'idée que je lui avais soufflée un soir avait fait son chemin. Le jeune homme avait pour projet de créer une troupe de saltimbanques tsiganes. Et mener à bien cette entreprise exigeait du temps libre. Répartissant sa nouvelle disponibilité entre sa famille, le ukulélé et la guitare, Tchavolo renoua avec ses connaissances manouches les plus proches de sa sensibilité artistique.

Quant à moi, j'avais veillé sur Josef et comblé au mieux sa solitude. À commencer par les fêtes de fin d'année que je passai en sa compagnie dans sa maison des marais. Une façon pour moi de partager cette connivence intellectuelle qui m'avait tant plu lors de notre intermède « inondationnel ». Nous y célébrâmes le jour de l'an avec mes enfants que j'avais en garde cette semaine-là. Au début, mes deux adolescents râlèrent de l'absence d'internet en des contrées si reculées. On frôla la crise de nerfs. Mais, au bout de deux jours, ils s'habituèrent aux grands espaces et apprécièrent les incroyables histoires que Josef prit goût à leur narrer. Étonnamment, mon vieil ami joua le rôle du grand-père affectueux que mes gamins n'avaient pas eu de mon côté.

J'avais également profité de ces journées festives pour conclure avec Josef un rachat de sa maison en viager. Il était heureux que je puisse l'acquérir et, pour ma part, je savais que cet argent frais lui permettrait de recourir aux services quotidiens d'une aide à domicile. De façon plus mesquine, je refusais de laisser à ses petits-enfants, si absents ou si détestables, le loisir de disposer un jour de ce lieu. Il portait trop de souvenirs pour moi. J'y tenais et me l'étais approprié.

Et puis, il y eut ce satané virus. Et cet invraisemblable confinement. Une réplique surdimensionnée de ce que nous avions vécu tous les quatre.

Requiem intime

Flanqué d'Esther et Tchavolo, je me recueillais sur la pierre tombale flambant neuve de Josef.

« Tu sais s'il a souffert ? me demanda Esther, d'une voix faible et les yeux trempés de larmes.

— Je ne pense pas. Le toubib m'a dit qu'il est vite tombé dans le coma. Il ne s'est pas vu mourir en tout cas… lui répondis-je.

— Tant mieux… Je l'avais appelé quelques jours avant son hospitalisation et il semblait plein d'optimisme. »

Malgré son relatif isolement au milieu des marais, le vieil homme fit partie de ceux qui attrapèrent cette cochonnerie de Covid-19. Le connaissant, je pense qu'il n'avait eu que faire des gestes « barrière ». Son imprudence et sa convivialité naturelle lui avaient, malheureusement, joué une bien vilaine farce.

Fin mars, il fut admis en réanimation au CHU de Tours. Averti par son aide à domicile, je pris de ses nouvelles tous les jours auprès de l'hôpital. Mais, au quatrième, on me répondit que Josef était mort d'insuffisance respiratoire. C'en était terminé pour notre ami. Il avait échappé à la peste brune du nazisme mais était tombé sous les coups d'un mauvais virus venu d'Asie. Et, comble d'ironie, son état de santé s'était effondré jusqu'au décès en seulement quatre jours ; la même durée que notre isolement lors de la tempête. Un laps de temps qui m'avait semblé interminable naguère et me parut bien trop bref cette fois…

Sa bougresse de petite-fille n'avait rien voulu débourser pour les frais d'enterrement de son grand-père. Josef fut donc inhumé à la sauvette, sans soins et en pleine terre, par deux agents municipaux. Son notaire eut beau m'aviser de la situation, je fus obligé d'attendre la fin du confinement pour pouvoir rectifier le tir, me rendre sur place et offrir au vieil homme une sépulture décente.

Car, pendant cette période étrange, il était interdit de participer à l'enterrement d'une personne autre qu'un membre de sa proche famille. Les autorités avaient choisi de borner le deuil à la stricte prise en compte des liens de consanguinité. Je comprenais le but recherché par cet oukase gouvernemental. Mais j'estimais qu'on était allé trop loin. La lutte contre un virus justifiait-elle une telle simplification, de pareils raccourcis ? Enterrer ses morts est, à mon sens, un des fondements communs à toutes les civilisations. Contrarier ce besoin revenait à s'attaquer à ce qui nous différencie des bêtes, des microbes et aussi des virus. Je considérais que ce décret était une erreur absurde. Il me contraignait à un immobilisme insupportable et trahissait, selon moi, un des travers les plus criants de ce nouveau siècle : la prééminence du principe de précaution sur la notion d'humanité.

Parallèlement, j'avais tenu Esther et Tchavolo informés des mésaventures médicales puis de la mort de notre ami. Et, de concert, nous avions décidé de nous retrouver chez lui, ce week-end-là, pour honorer sa mémoire.

Tchavolo restait de marbre, réfugié dans une posture stoïque. Je le savais loin d'être insensible. Il tentait juste de maîtriser son émotion par le mutisme.

La jeune femme était venue avec Torpille. Le chien l'avait adoptée dès le premier soir de son sauvetage. Leurs destins s'étaient liés et ils avaient poursuivi leur existence ensemble en Aveyron. Insouciant, l'animal folâtrait dans les allées du cimetière. Sans le vouloir, il rendait à cet instant une part de normalité qui nous échappait. « La vie continue », semblait-il nous dire.

Tchavolo marmonna une sorte de prière en tsigane.

« J'aurais voulu l'avoir connu plus tôt… » finit-il par lâcher, les dents serrées.

Nous restâmes silencieux quelques secondes. Chacun était perdu dans ses pensées. Dans un souvenir de notre défunt ami.

Puis nous tournâmes le dos à son caveau. Le monde des vivants nous rappelait à lui.

Sortant du cimetière, j'annonçai alors à mes compagnons :

« J'étais chez le notaire, tout à l'heure. C'est officiel : je suis le nouveau propriétaire de la maison de Josef. Allons fêter ça en sa mémoire ! »

In memoriam

Telle une sentinelle, la bâtisse se dressait au-dessus des lacs et des canaux revenus dans leurs limites habituelles. Un vaste pré couvert de coquelicots s'étendait désormais devant la porte-fenêtre du salon. Esther et Tchavolo avaient du mal à reconnaître les abords de l'ancienne demeure de Josef.

« C'est incroyable ! s'était exclamée la jeune femme. Ça n'a plus rien à voir avec ce qu'on a connu ! C'est très joli, en fait… »

Nous nous installâmes dans la maison. Bien avant sa mort et sur ma suggestion, Josef l'avait meublée de lits pour nous trois, en prévision de retrouvailles festives qu'il avait espérées pour l'été.

Puis nous fîmes ensemble le tour de la propriété. Mes deux compagnons étaient surpris par l'étendue du domaine. Il comportait un lac entier, deux bois et de nombreuses prairies. Cette promenade nous poussa à évoquer les souvenirs de nos quatre jours et quatre nuits d'isolement. Chacun de nous avait gardé en mémoire des fragments différents de cette réclusion. Ce partage redonnait de la substance et de la profondeur à cette aventure hors du commun qui nous avait amenés à vivre une sorte de confinement avant l'heure.

Nous revînmes en passant par le chemin qui longeait le puits. Esther et Tchavolo se mirent à rire aux éclats à l'évocation de mon vol plané dans la bouillasse, lorsque nous nous étions précipités à la rescousse de notre vieil ami. J'appréciai cet instant de joie spontanée. Il participait au travail de deuil et me rappelait cette citation de William Shakespeare : « L'esprit oublie toutes les souffrances quand le chagrin a des compagnons et que l'amitié le console ».

J'avais prévu ce qu'il fallait de victuailles apéritives et de boissons alcoolisées pour notre soirée. Nous installâmes une table et des chaises au beau milieu de la cour gravillonnée de la maison. À peu près à l'endroit où ma voiture avait été pulvérisée par un sapin malveillant quelques mois plus tôt…

Le fond de l'air était encore bon. Le sol irradiait la chaleur accumulée au cours de la journée et une douce pesanteur émanait des pierres de la bâtisse. Torpille gambadait gaiement d'un buisson à un fourré. La chevelure rousse d'Esther semblait s'enflammer dans les rayons du soleil déclinant. Tout était harmonieux.

En mémoire de nos discussions des premiers soirs d'inondation avec Josef, nous en vînmes naturellement à nous raconter nos confinements respectifs. Il s'agissait pour moi d'une évidence que les lieux nous soufflaient.

« Le mien n'a pas été si compliqué à gérer, commençai-je. Je travaille habituellement seul dans mon appartement comme indépendant. Donc, pour moi, ce confinement n'a pas été un grand bouleversement... Professionnellement, mon principal sous-traitant a continué à travailler aussi. Ainsi que beaucoup de mes clients. De telle sorte que mon activité n'a finalement que peu diminué pendant cette période.

— Tant mieux... Il y en a d'autres que je connais qui se sont retrouvés complètement asphyxiés par l'arrêt de l'économie. Surtout dans l'événementiel et la restauration... ajouta Esther. Mais, personnellement, comment tu l'as vécu ?

— Un peu excédé, sur la fin, de devoir remplir mon ausweiss à chaque sortie et de ne plus pouvoir aller et venir sans motif valable. Pour le reste, je suis d'un naturel solitaire. Ne plus voir de monde ne m'a pas vraiment gêné », répondis-je.

Je réfléchis un instant. Une chose m'avait toutefois fortement contrarié.

« Ce que je regrette, c'est de ne pas avoir pu être auprès de Josef quand il a été emmené en réanimation. Et la façon dont il a été enterré... »

Une ombre brève traversa la cour. Un minuscule nuage blanc narguait le soleil.

Ces dernières paroles n'étaient qu'un pâle reflet des sentiments que j'avais eus lors de l'entrée en réanimation puis du décès de Josef. En bon citoyen, je m'étais plié aux exigences du confinement décrété par le gouvernement, bien que je trouvasse cette réaction trop tardive et inappropriée. Son unique but avait été d'éviter une surpopulation hospitalière que nous étions incapables de soigner et de sauver dans sa totalité. Des années de restrictions budgétaires et de « dégraissage » ne nous permettaient plus d'absorber un tel choc. On nous avait même présenté cette stratégie de lutte contre le virus comme la meilleure. Mais, dans les faits, elle avait été la seule possible après des décennies d'une gestion déplorable des moyens et des infrastructures de santé en France. Me retrouver coincé dans mon appartement par la faute d'une succession de gouvernements irresponsables, alors que j'aurais eu tant à faire auprès de mon vieil ami, m'avait rendu furieux et enragé comme un taureau enfermé dans son enclos.

« Le confinement a eu aussi un bon côté, repris-je pour ne pas plomber l'ambiance de notre banquet funéraire revisité. Il m'a laissé le temps de cogiter et d'imaginer une histoire à raconter. J'ai acheté une vieille Remington sur internet. Et je me suis mis enfin à écrire les premières pages de mon roman...

— C'est super ça, Roland ! s'exclama Tchavolo. Tu réalises ton rêve de gosse... J'espère qu'on pourra le lire bientôt...

— Ça parle de quoi ? » me demanda Esther, de but en blanc.

Le sujet de mon livre était bien différent des chroniques d'explorateur ou des récits d'aventures que, plus jeune, j'avais eu envie d'écrire. Car je n'éprouvais plus le besoin de coucher sur le papier ce que je souhaitais être mais plutôt ce que je ressentais et pensais de l'existence.

« De musique classique, de poésie, de rencontres et de nous... lui répondis-je succinctement, dans une esquisse de sourire.

— Si ça parle de moi, ce sera un chef d'œuvre ! » plaisanta-t-elle, en passant la main dans ses cheveux, comme une star de cinéma.

Il me sembla qu'en quelques semaines, Esther avait perdu son allure de grande adolescente immature. Elle avait acquis cette profondeur, cette gravité et cette inaccessibilité que partageaient, selon moi, les êtres dotés d'une vraie beauté.

« Comment ont-ils vécu ce moment-là, tes enfants ? Ça ne leur a pas trop pesé ? poursuivit-elle.

— En fait, le confinement m'a permis de passer plus de temps avec eux. Enfin... Une semaine sur deux. Tu sais, c'est le rythme du parent divorcé : une semaine tranquille, une semaine à fond. On finit par s'y habituer. Bref... Je crois qu'ils se sont faits assez vite à la situation. Au début, ça a été l'orgie de jeux informatiques et de vidéos sur internet. Et puis, une fois gavés, je les ai vus s'intéresser à ce que j'écrivais, à mes essais de peinture, aux vieux jeux de plateau que j'avais gardés de leur tendre enfance. On a fini le confinement par des parties endiablées de Monopoly. Tu y crois à ça ?

— Ça ne m'étonne pas, Roland... Le virtuel ne nourrit pas l'âme... » me répondit Tchavolo.

Il avait raison. Dans les situations psychologiquement délicates, les individus ont avant tout une soif de partage et d'échanges. Le besoin de se sentir humain dans le regard de l'autre. Je me souvenais des premiers jours du confinement. Pris dans une queue de trois personnes devant chez mon boucher, les conversations s'étaient nouées naturellement. Même moi, habituellement si taciturne, j'avais eu ce désir de bavarder avec de parfaits inconnus. Malgré l'intervalle de sécurité de deux mètres. Comme s'il s'était agi d'une nécessité vitale : parler à un autre, préserver une affabilité gauloise que la distanciation sociale imposée réfrénait. Ces premiers jours de silence et de désertion des rues avaient été surréalistes et angoissants. Aucun roman dystopique de science-fiction de ces dernières décennies n'avait imaginé une telle situation. Hélas, la réalité dépasse bien souvent la fiction…

Je poursuivis :

« Depuis, j'en ai reparlé avec mes deux adolescents. Bien sûr, les copains ont fini par leur manquer mais, paradoxalement, ils ont eu une sensation de liberté pendant ce confinement.

— Ah bon ? Pourtant tout le monde était enfermé... s'étonna Esther.

— Ils ont eu l'impression de pouvoir gérer eux-mêmes le temps de leur journée scolaire. Pas d'horaires définis. Moins de contraintes. Plus d'autonomie... En même temps, ils ont fait preuve d'une incroyable prise de recul sur toutes les inepties propagées par les réseaux sociaux. On en a pas mal discuté ensemble. Et, franchement, ce confinement m'a montré mes gamins sous un jour qui m'a plu et rassuré.

— Tu vois ! Moi qui t'ai connu comme un vieux con avant l'heure qui ne croyait plus en la jeunesse... J'avais deviné que c'était plus par dépit que par conviction... »

Elle avait raison. J'étais fier de mes enfants ; ils avaient su trouver en eux les ressources nécessaires pour s'adapter à cet étrange événement. Ils avaient vécu un état de siège de forme inédite et s'en étaient très bien sorti.

Dans un froissement d'ailes, une escadrille de canards cols-verts passa en trombe au-dessus de nos têtes. Elle finit sa course en se jetant derrière une haie de peupliers.

J'étais curieux de savoir comment Esther avait abordé ce moment-là. Son ressenti devait être très différent du mien.

« Et toi ? Tes petits vieux n'ont pas été trop chamboulés par tout ça ? lui demandai-je.

— Dans mon village, ça s'est bien passé. Tu sais, à la campagne, tout le monde s'entraide. Surtout chez les personnes âgées... Il y a une forme de solidarité dans la vieillesse… Et puis, ils avaient tous la tête sur les épaules ; personne n'a vraiment paniqué. « C'est le bon sens paysan », aurait dit ma grand-mère. Pendant le confinement, je continuais à les aider dans leur quotidien, comme avant. À part les gants et le masque, mon boulot était le même…

— Bon… Et tu te plais toujours là-bas ?

— Oui, il y a une bonne ambiance. Tout le monde m'aime bien... Le seul problème, c'est que ça ne va plus durer très longtemps. Le maire qui m'avait embauchée a sauté dès le premier tour des municipales. Et son remplaçant est un jeune loup aux dents longues qui veut faire venir du sang frais sur la commune.

— Aïe ! dit Tchavolo, en s'allumant une cigarette.

— Comme tu dis... Place aux jeunes ! Laissez crever les anciens ! Les priorités budgétaires changent et mon contrat s'arrête le 31 juillet », ajouta la jeune femme.

Cette décision ne me surprenait pas. À cette échelle du découpage administratif, le pouvoir passait en grande partie par le poids démographique. Le processus de fusion communale avait été inventé en 2010, dans le cadre de la réforme des collectivités territoriales. Il avait poussé certains maires à faire grossir artificiellement la population de leur circonscription, au moyen de programmes de lotissements subventionnés et surdimensionnés. Ces municipalités cherchaient à peser le plus lourd possible dans l'éventualité de la création d'une commune nouvelle les englobant. Une fois encore, la politique s'exerçait sur le court terme et pour un intérêt immédiat. À chaque renouvellement de mandature, on faisait table rase du passé. Le développement du pays ne se concevait plus comme une construction progressive mais comme une série télévisée qui doit toujours tenir en haleine son audimat grâce à des rebondissements inédits. Le sondage d'opinion et le clientélisme avaient propulsé aux oubliettes les notions de projet collectif et de cohésion sociale.

« Comment vis-tu la perspective de ta fin de contrat ? me risquai-je à lui demander.

— Je trouve cela dommage. Je m'étais attachée à certaines personnes. Mais je ne resterai pas dans cette région... Je sais que j'y ai fait du bon boulot, que j'ai apporté du bonheur à beaucoup de monde. Pour moi, ce n'est pas un échec. Au contraire, même... Je suis sortie de ma spirale infernale de revers successifs. Je suis enfin fière de moi. Josef en aurait été heureux... Maintenant, je vais me laisser porter par le cours des choses... Je ne me prends plus la tête. »

La jeune femme qui se tenait devant moi n'était décidément plus celle que j'avais connue en pleine inondation. Sa détermination et sa fougue ne la dominaient plus comme avant. Ses paroles avaient désormais gagné une sérénité que je lui enviais presque.

Il en était de même pour Tchavolo. La nostalgie et la morosité de ses expressions d'autrefois avaient disparu. Son regard était apaisé.

J'étais persuadé que notre isolement involontaire du mois de décembre nous avait tous changés. Il ne pouvait être étranger aux nouvelles trajectoires qu'Esther et Tchavolo avaient su donner à leur vie. Cet épisode incongru de nos existences avait été une pause forcée. Un moment de réflexion et d'introspection que l'emballement du quotidien n'autorise pas facilement. Il avait laissé des traces et nous avait révélés à nous-mêmes. Mais d'une façon bien distincte de ce que le confinement sanitaire avait provoqué. Car, quand bien même le Covid-19 et la tempête Iris avaient entravé notre liberté, la comparaison entre ces événements s'arrêtait là. Il s'agissait de deux expériences de solitude et de manque radicalement différentes.

Impassible, Tchavolo fixa Esther pendant quelques secondes puis il sourit.

« Tu as rencontré quelqu'un là-bas », asséna-t-il sans détour.

Je le dévisageai, interloqué. Puis je compris qu'il venait d'avoir une de ses « visions » dont il nous avait déjà parlé.

La jeune femme redressa le menton, silencieuse.

Le souvenir de leur dispute, le dernier soir de notre réclusion, me revint également à l'esprit. À ce moment-là, le sujet amoureux entre eux deux m'avait semblé épineux. Je craignis que la brusquerie de Tchavolo ne froissât Esther.

« Malika… Elle s'appelle Malika. Et tu avais raison sur moi, Tchavo… Je me suis acceptée comme homosexuelle », répondit-elle simplement.

Je sentis que ce prénom n'était pas étranger à la tristesse du ton de sa voix.

« On a rompu. À cause du confinement. Notre histoire n'a pas duré très longtemps.

— Tu ne veux peut-être pas en parler, regretta Tchavolo.

— Si… Maintenant que j'ai commencé, je vais continuer… J'ai rencontré Malika en janvier. Elle venait d'arriver sur Millau, la ville voisine de mon village, où elle avait été embauchée comme serveuse dans un restaurant. Nous sommes sorties ensemble un mois après. Quand tout a été bouclé, elle s'est retrouvée au chômage partiel. On a continué à se voir chez elle, certaines nuits, car elle habitait tout près de la limite avec Creissels où je travaille. Grâce à ma dérogation professionnelle pour me déplacer, ça ne posait pas de problème avec la police quand je me faisais contrôler sur la route. Mais, très vite, un connard de voisin de Malika a menacé de nous dénoncer. On s'est engueulées avec lui et puis, une nuit où j'étais là, il a appelé les flics. »

J'avais lu des articles de presse sur cette vague de délations qui avait surgi dans certaines régions de France. Cela m'avait effaré. Depuis MeToo et BalanceTonPorc, l'emploi des réseaux sociaux pour la dénonciation était devenu ordinaire ; la tribune offerte par internet était immense. Pendant le confinement, on avait donc vu arriver BalanceTonVoisin sur la toile. Une bannière qui servait une cause bien moins juste et montrait qu'à l'ère numérique, la mesquinerie et la jalousie n'avaient plus de limites dans l'étendue de ce qu'elles salissaient. Cette quarantaine généralisée de la population avait malheureusement fait ressurgir cet odieux aspect de la nature humaine.

Esther continua de se raconter. Ses paroles semblaient la libérer. La posture de son buste s'était détendue.

« Du coup, on ne s'est plus revues. Il n'y avait plus que le téléphone pour poursuivre notre relation… Mais, ce n'est pas pour ça que nous nous sommes séparées… Malika est devenue nerveuse et agressive. On s'embrouillait de plus en plus souvent. Et j'ai fini par lui demander de s'expliquer : elle m'a avoué qu'elle était dépendante à la cocaïne. Je ne m'en étais pas aperçue. Avant, c'était un jeune collègue serveur qui la fournissait mais, avec la fermeture des restaurants, il était reparti vivre chez ses parents en Bretagne. C'était devenu carrément compliqué pour elle de s'approvisionner. Malika ne connaissait aucun autre dealer sur Millau et elle a été en manque pendant tout ce temps. Un soir, elle m'a craché trop de saloperies à la figure. Je lui ai raccroché au nez et ça a été fini. Nous ne nous sommes plus appelées. Nos engueulades étaient allées trop loin. Après le confinement, j'ai essayé de la joindre à nouveau, pour qu'on s'explique. Mais sa ligne était coupée. Et elle n'habitait plus dans son appartement… Je pense qu'elle est partie chercher du travail ailleurs. Elle rêvait de monter vivre à Paris… »

Esther souffrait encore de cette rupture. Tchavolo et moi essayâmes de la réconforter. Notre amie avait, malheureusement, rencontré la mauvaise personne au mauvais moment.

Puis, notre conversation dériva sur Josef. Après tout, nous étions réunis ici en sa mémoire.

Je leur expliquai que nos échanges intellectuels en général, et sur la musique classique en particulier, me manquaient. Que j'avais commencé à écrire mon roman le lendemain de sa mort. Désinhibé par l'alcool, j'étais en train de vider mon sac. Les digues rompaient une à une. Les larmes me montaient aux yeux.

Esther et Tchavolo m'enveloppèrent d'un regard bienveillant. La jeune femme se sentait moins seule dans sa tristesse.

Je me ressaisis et retrouvai mon calme.

Nous eûmes, alors, cet échange incroyable :

« Je trouve qu'on a eu de la chance de se retrouver coincés ici en décembre dernier… confiai-je à mes deux amis.

— Ça a été un tournant dans ma vie, avoua Esther.

— Pour nous, la tempête Iris n'a pas été si catastrophique que ça… » conclut Tchavolo.

À leur façon, ces paroles donnaient sens à l'écriture chinoise du mot « crise ». Celui-ci est composé de deux idéogrammes : « danger » et « chance ». Et c'est bien ainsi que pouvait se résumer pour nous la crise de l'inondation. Un moment dangereux de nos vies mais qui nous avait offert l'opportunité de nous rencontrer et de nous lier d'amitié.

Dans le soleil crépusculaire, l'horizon paraissait se consumer en un flamboiement couleur de braise. De rares nuages s'enflammaient de rose et de parme. L'air était immobile et portait de petites chauves-souris voltigeant dans l'obscurité naissante. Dans un cri strident, un oiseau de nuit s'envola du toit de la maison.

« Tiens… Le locataire de Josef… » s'exclama Tchavolo.

Était-ce bien ce rapace hurleur qui m'avait fait sursauter autrefois ? Ou l'âme de notre vieil ami qui était passée écouter nos conversations et s'en retournait, rassurée, dans son au-delà ?

Ce soir-là, nous lui rendions un bel hommage funèbre. Malgré sa disparition, il me sembla que nous étions, à nouveau, tous les quatre rassemblés.

Une page se tournait. Et les dernières lignes que nous étions en train d'y écrire me plaisaient.

L'échauffourée

L'obscurité de la nuit montait sur notre soirée. Nous décidâmes de la poursuivre à l'intérieur de la maison.

Par habitude, mes deux amis s'installèrent côte à côte sur le canapé. Pour ma part, je retrouvai avec plaisir le confort du vieux fauteuil bergère de la cheminée.

Quand nous eûmes tout réinstallé sur la table basse du salon, Esther se tourna vers Tchavolo :

« Et toi, mon grand manouche ? Ce confinement ? »

Il rit en remplissant nos verres.

« Moi, je me suis confiné en caravane avec mes amis. Si on peut appeler ça un confinement... plaisanta-t-il.

— Ah, c'est bien ! Au moins, tu n'étais pas tout seul dans ton appartement... Et ton projet de troupe itinérante d'artistes manouches ? Tu en es où ? lui demandai-je.

— Ça commence vraiment à prendre forme... D'ailleurs, j'ai donné ma démission à l'hôpital. Je me jette dans le grand bain.

— Tu as franchi le pas. Bravo ! Je pense que tu as enfin trouvé ta voie…

— C'est grâce à toi, Roland. Mélanger ma vie gitane et ma vie sédentaire... Montrer la beauté de l'univers manouche aux gadjos... À la base, c'est toi qui m'as soufflé l'idée.

— Je suis heureuse pour toi, Tchavo ! le félicita Esther. Et sinon… Au CHU, tu as dû en baver pendant le pic de l'épidémie ?

— Tu sais, je ne suis que conducteur d'ambulance. Pas soignant. Au début, on m'a fait remplacer des brancardiers. Mais j'ai quand même été pas mal épargné. Pour les infirmières et les médecins, ça a été plus rude. Un vrai champ de bataille ! J'en ai vu s'effondrer d'épuisement. D'autres se décomposer complètement sous la pression nerveuse… Et pourtant on n'était pas à Paris ou en Alsace. »

Les propos du jeune homme confirmaient ce que je pensais de la situation. Par manque d'anticipation, par défaut de clairvoyance, nos dirigeants politiques avaient jeté l'ensemble du corps médical dans un état de crise auquel il n'était pas préparé. Et comment aurait-il pu l'être ? Il n'était pas dans l'ordre des choses que l'on demande du jour au lendemain aux personnels soignants de notre quotidien de pratiquer de la médecine de guerre. Cette « guerre contre un ennemi invisible » déclarée par le chef de l'État mais pour laquelle on avait envoyé des civils au front. N'y avait-il pas là une question de fond à se poser sur la manière dont devaient évoluer la composition et les missions de notre armée ? Ne devrait-on pas former nos soldats à savoir également mener une guerre « sanitaire », en assistant les soignants dans les gestes de base de l'urgentisme médical ?

Soudain, nous entendîmes la porte d'entrée s'ouvrir à la volée. L'instant d'après, une grosse femme rouge de colère débula dans le salon. Elle était flanquée d'un petit maigrelet à l'air revêche. Torpille se mit à aboyer comme un furieux après les intrus.

« Vous êtes chez moi ! Cassez-vous ! » hurla-t-elle, pour couvrir les cris du chien.

Je reconnus l'inimitable timbre de voix d'Audrey, la petite-fille de Josef.

« Rien du tout ! Je l'ai achetée à votre grand-père, il y a six mois. Vous n'avez rien à faire ici, dans ma maison ! » lui répondis-je du tac au tac, en bondissant de mon fauteuil.

Mes amis se levèrent à leur tour. Tchavolo se mit en retrait.

« C'est de la connerie ! C'est mon héritage. Cette maison est à moi ! » protesta-t-elle, en transpirant et postillonnant.

Manifestement, l'importune n'était pas ouverte à la discussion. Il était inutile de tenter de la raisonner. J'employai la manière forte :

« Écoutez Audrey, je sais qui vous êtes. Vous n'êtes pas en position de me faire peur. Je me suis renseigné sur vous : vous avez déjà été condamnée à un an de prison avec sursis pour violence sur un commerçant. Et j'ai fait installer des caméras de surveillance partout dans cette maison. En ce moment, elles vous filment et vous enregistrent. Si je donne les vidéos à la police, vous partez directement au trou. Je suis expert judiciaire, ils n'hésiteront pas à vous charger. Et votre fille Louane sera placée en foyer d'accueil. C'est ce que vous voulez ? »

Lors de la signature du viager, Josef m'avait mis en garde contre les réactions de sa petite-fille. Sur ses conseils, j'avais pris soin de mettre un détective privé sur le coup. Histoire d'avoir quelques moyens de pression, au cas où elle me chercherait des noises. L'enquête avait été fructueuse et me permettait de lui asséner ces arguments « choc ». En outre, je misais sur sa méconnaissance du système judiciaire français qui, contrairement à ce que montraient les séries télévisées américaines, n'admet pas un enregistrement vidéo acquis par la ruse comme une preuve recevable. Enfin, je bluffais effrontément ; aucune caméra de surveillance n'avait été installée et mon statut d'expert de justice ne me donnait aucune influence sur la police.

Surprise que j'en sache autant sur elle, Audrey s'empourpra un peu plus. Sa gorge avait doublé de volume.

« Kevin ! Plante-le ! » cria-t-elle nerveusement à son acolyte décharné.

Le loubard au visage marqué par l'alcool hésita. Puis, d'un geste sec, il sortit un couteau à cran d'arrêt de la poche de son blouson en cuir et le pointa vers mon torse.

Esther, qui s'était approchée de moi, lui jeta un verre à la figure.

La grosse femme se précipita sur mon amie en tentant de l'attraper par les cheveux.

Subitement, une décharge de chevrotine tirée dans le plafond figea tout le monde. Le bacula[15] vola en éclats dans la pièce, laissant apparaître une partie du grenier au-dessus de nos têtes.

« Ça suffit ! » retentit, sur ma gauche, la voix grave de Tchavolo que je n'avais pas vu sortir du bureau de Josef.

Il s'avança vers Esther et allongea une monumentale gifle à Audrey. Malgré le large quintal qu'elle affichait sur la balance, la furie valsa à l'autre bout du salon. Puis, le manouche plaqua le canon d'un fusil de chasse sur l'entrejambe de son comparse. Je reconnus l'arme à feu que notre vieil ami cachait autrefois dans un tiroir de sa bibliothèque.

« Barrez-vous tous les deux ou, la cartouche suivante, je la mets dans tes couilles... » proposa-t-il d'un ton qui ne suggérait aucune équivoque.

Le dénommé Kevin blêmit, lâcha son petit couteau, ramassa sa grosse bonne femme geignant au sol et déguerpit sans demander son reste.

Quelques secondes plus tard, on entendit un bruit de portières claquer. Puis une voiture démarrer en trombe.

« Voilà ! Maintenant, on va être tranquille. Ils ne vont plus nous emmerder » conclut Tchavolo.

---

[15] *Lattis pour plafond destiné à être enduit de plâtre.*

Sous combles

Le lendemain matin, je me levai le premier.

L'incident de la veille avec Audrey avait douché l'enthousiasme de nos retrouvailles. L'alcool aidant, la fatigue l'avait emporté et nous n'avions pas tardé à gagner nos lits.

Le soleil matinal peignait les pièces de la maison d'un chaleureux jeu d'ombres et de lumières. Accompagné par des roucoulements de tourterelles et le babillement d'un merle, je balayai les débris de bacula pulvérisés dans le salon. Tchavolo n'y était pas allé de main morte... Je n'en revenais toujours pas qu'il ait su où se trouvait le fusil de Josef. Le vieil homme avait dû lui en parler pendant nos quatre jours d'isolement.

Je jetai un coup d'œil au plafond. Un disque sombre d'au moins un demi-mètre de diamètre donnait une vue sur les combles de la maison. Malgré la pénombre de cet espace perdu, je pouvais deviner les fermes de la charpente. Curieusement, un objet doré semblait briller dans ce clair-obscur poussiéreux. Intrigué, je pris l'escabeau et la lampe de poche de la cuisine. Le trou était assez grand pour que je puisse y passer la tête.

Un amoncellement de tableaux et de sculptures en bronze était stocké dans ce grenier. Je me rappelai alors que Josef m'avait parlé une fois d'un oncle antiquaire qui lui avait légué une partie de sa collection. Il devait s'agir de ces œuvres d'art, remisées puis oubliées sous les combles.

« Tout va bien, Roland ? Tu prends l'air ? »

Esther m'interpellait du bas de l'escabeau, amusée par la scène que j'offrais à sa vue.

Je redescendis de mon perchoir, une toile d'araignée dans les cheveux.

« Je ne savais pas qu'il y avait tout un tas de trucs entassé dans ce grenier. Il faudra que je fasse le tri dans ce bazar... »

Nous déjeunâmes ensemble. Tchavolo nous rejoignit. Cela me rappela nos repas de « naufragés ». Josef manquait tristement à l'appel.

Décidé à profiter pleinement de ces derniers moments passés en compagnie de mes amis, je m'efforçai de chasser cette sombre pensée de mon esprit. Esther devina mon tourment et lança une conversation avec Tchavolo.

« Et tu vis où, alors ? Tu nous as parlé d'une caravane... » lui demanda-t-elle.

« Ouais… Après nos discussions ici, pendant l'inondation, j'ai réfléchi. Je ne pouvais plus continuer comme ça. Ma vie de sédentaire était une mascarade. En début d'année, lorsque je suis passé à mi-temps, j'en ai aussi profité pour larguer mon appartement. Je me suis acheté une vieille caravane à restaurer.

— Ah oui, quand même… Tu m'avais dit pour le mi-temps et ton projet de troupe itinérante mais pas pour la roulotte, ponctuai-je, surpris.

— J'y ai vécu seul pendant quelque temps. Dans les environs de l'hôpital. Histoire de remettre le pied à l'étrier, de retrouver les réflexes du nomadisme. En même temps, je suis souvent retourné visiter le camp de mes parents et des amis gitans dans la région. J'ai rencontré des manouches intéressés par mon projet. On a fini par se rassembler dans un pré, en pleine campagne. Pas trop loin de Châteauroux, pour mon boulot.

— En gros, tu as monté ton camp, Tchavolo… affirma Esther.

— C'est plus compliqué que ça. Il faut un chef de famille dans un camp. Nous, on fonctionne plutôt comme une troupe de forains, tu vois ? »

Je comprenais ce qu'il voulait dire. Par méconnaissance, on imagine qu'un camp de gitans est un foutoir de caravanes entassées sur un terrain vague comme dans un camping. En réalité, il obéit à une hiérarchie sociale pas moins complexe que celle qui sous-tend l'urbanisation de nos cités sédentaires.

« Mais comment as-tu fait pour te déplacer, avec le confinement ? demanda la jeune femme.

— J'avais ma carte professionnelle d'ambulancier. Et puis, les flics ne sont pas sur les petites routes de campagne. Je connais bien le coin et je sais par où passer pour les éviter.

— Et personne ne t'a rien dit ? Chez tes amis ? Dans ta famille ? Tu pouvais aussi bien être porteur du virus et contaminer tout le monde en te baladant partout comme ça…

Tchavolo se donna le temps de répondre en allumant une cigarette. Je retrouvais son tressaillement de mâchoire caractéristique ; Esther avait touché un point sensible.

— Ouais… Enfin, tu sais, le respect des gestes « barrière » chez les gitans, c'est impossible. Avec notre mode de vie et nos habitudes… Et puis, on était bien forcé de sortir du camp pour continuer à vivre. Pas de possibilité de chômage partiel pour un rom...

— Certes… acquiesça la jeune femme.

— Et, quand tu y penses, ça n'a pas dérangé les autorités de dire, pendant des semaines, que le port du masque ne servait à rien. Là aussi, il n'y avait pas mieux pour faire circuler le virus… »

Je sentais une certaine amertume chez Tchavolo. Il faisait partie de ceux que l'on avait envoyés au front, comme de la chair à canon et dans des conditions déplorables. Manque d'équipements de protection. Manque de respirateurs artificiels. Manque de personnel soignant. Une pénurie criante de ressources que le corps hospitalier avait pourtant dénoncée plusieurs mois avant la crise sanitaire. Mais, à l'époque, la nation était bien moins reconnaissante envers les médecins et les infirmiers. Le gouvernement répondait à leurs revendications à grand renfort de coups de matraque.

« Cependant, tu as raison sur un point, ajouta Tchavolo, avec une pointe de déception dans la voix. Quand le confinement a été décrété mi-mars, mon père n'a plus voulu que j'entre dans sa roulotte. Je n'étais plus le bienvenu car je travaillais à l'hôpital. Il a pris peur. Mon père me voyait comme un porteur du virus. Dans son esprit, j'apportais chez lui le « mal des gadjos » pour qui je travaillais. Depuis, je ne suis pas retourné le voir... »

Pour le jeune homme, le confinement avait desserré des liens familiaux alors que ceux qui m'attachaient à mes enfants s'étaient resserrés. Nous n'avions vraiment pas vécu la même chose pendant cette période. Car ce genre d'événement extrême a tendance à exacerber les émotions. Il amplifie les contrastes, casse ce qui est fragile, renforce ce qui est solide.

Nous nous séparâmes en début d'après-midi.

L'âme lourde, je regardai leurs voitures remonter l'allée de la propriété puis écoutai le bruit des moteurs s'évanouir dans le lointain. Je me rendis compte que l'isolement de l'inondation puis du confinement m'avait changé plus profondément que je ne voulais bien me l'avouer. Désormais, la solitude me pesait.

Une si belle journée d'été

En milieu d'après-midi de ce samedi 1er août 2020, j'attendais l'arrivée d'Esther. La veille avait été son dernier jour au service des personnes âgées de la commune de Creissels. La jeune femme avait pris la route dans la matinée.

Nous avions organisé son passage dans la Brenne de longue date. En effet, le lendemain de nos retrouvailles sur la tombe de Josef, je lui avais proposé de venir habiter dans ce que j'appelais désormais « la maison des marais ».

« Ça me fait plaisir ! Tu n'as pas de point de chute... Ici, tu pourras tranquillement te retourner et trouver un nouveau boulot quand tu auras quitté ton village de l'Aveyron. Je serai là la moitié du temps seulement et je travaillerai dans le bureau de Josef. Tu resteras autant que tu veux », lui avais-je expliqué.

Elle avait accepté ma proposition.

Depuis, j'avais mûri mon idée première.

Je m'étais installé sur une chaise longue, dans un coin de la cour gravillonnée, et écrivais quelques lignes de mon roman, protégé du soleil par l'ombre inégale d'un tilleul. Les feuillages de l'arbre bruissaient du roucoulement d'un couple de tourterelles. Du rebord de mon chapeau de paille, un papillon jaune s'envola vers un rosier en fleurs. Emportées par une légère brise d'été, quelques notes de guitare parvinrent à mes oreilles. De plus loin encore, j'entendais le sol vibrer sous le galop d'un cheval.

Depuis une semaine, Tchavolo et sa troupe de saltimbanques s'étaient installés dans un pré de ma propriété. L'exploitant du terrain abandonné qu'ils occupaient jusqu'alors, près de Châteauroux, avait fini par appeler la gendarmerie. Les forces de l'ordre n'avaient pas tardé à venir jouer les shérifs devant Tchavolo. Le jeune homme n'en avait pas été surpris ; c'est une habitude chez les gitans d'être chassés d'un peu partout. Mais ils avaient désormais besoin de s'implanter quelque part durablement. Leur spectacle itinérant en gestation était dans une phase qui nécessitait un lieu pour y stocker du matériel et s'entraîner avec les animaux. Tchavolo m'avait téléphoné pour que je le dépanne provisoirement. Je l'avais évidemment accueilli les bras grands ouverts.

Ses amis étaient des personnages hauts en couleur. Aucun d'eux ne dépassait la trentaine. Il y avait Paco, un lanceur de couteaux au talent incroyable et au langage formidablement imagé. Esmeralda, la sœur de Tchavolo, était une jeune femme élastique : son énergie et sa grâce faisaient d'elle une danseuse surprenante. Livio, quant à lui, était un acrobate équestre, taciturne, d'une grande gentillesse. Et j'en oublie... Ils étaient douze en tout et s'investissaient totalement dans le projet de Tchavolo. Un cheval, un âne, deux poules et trois chèvres accompagnaient cette folle équipée.

Parfois, je passais les regarder dans leurs répétitions. Soucieux de mon avis de gadjo, ils profitaient de ma présence pour me demander conseil. J'étais heureux d'apporter ma modeste pierre à leur si belle création. Certains soirs, Tchavolo venait me retrouver pour prendre un verre. Sa sollicitude me touchait. Une fois, il m'avait même invité à partager le dîner avec toute sa troupe. Prenant soin de ne pas me tenir à l'écart de leurs conversations, ses amis avaient alors gentiment évité de parler gitan.

Soudain, un bruit de 4L retentit dans l'allée qui menait à la maison. Esther arrivait.

Je l'aidai à décharger sa voiture et à s'installer. Je découvris au passage qu'elle avait adopté deux chatons à peine sevrés.

« Ça ne te dérange pas ? Ils traînaient en bas de chez moi depuis deux jours... Je crois qu'ils ont perdu leur mère. Ils me faisaient trop pitié ; je les ai pris sous le bras ce matin en partant, m'expliqua-t-elle.

— Pas de problème, la maison est grande et pleine de souris. »

Puis je lui fis la surprise de la présence de Tchavolo. Précédés par le chien Torpille qui bondissait parmi les graminées folles, nous gagnâmes le pré à caravanes et mes deux amis s'embrassèrent. Le jeune homme à la musculature d'haltérophile la prit dans ses bras, la souleva de terre et virevolta avec elle. Comme un derviche tourneur. La longue chevelure rousse d'Esther décrivait un cercle incandescent autour de leurs retrouvailles. Leur joie de se revoir était pure et sans retenue. J'admirais cette capacité qu'avaient mes deux amis à laisser exploser ainsi leurs sentiments. Une telle spontanéité m'avait toujours été étrangère. La regarder s'exprimer devant moi, avec autant de naturel, me rappelait que je m'étais même longtemps cru « handicapé du cœur ».

Tchavolo présenta les membres de sa troupe à Esther. De mon côté, j'en profitai pour saluer ceux que je n'avais pas vus dans la journée et aller flatter l'encolure du grand cheval noir qui prenait une part importante de leur spectacle tsigane. Involontairement, mes yeux se posèrent sur Esmeralda. Elle discutait avec Esther et Tchavolo. Il me sembla que sa posture et ses gestes avaient imperceptiblement changé en présence de ma jeune amie. Une sorte de tension transformait légèrement le maintien de son buste. Sa cambrure s'était accentuée et sa poitrine ressortait.

Un peu plus tard, je les rejoignis et remarquai qu'Esther passait souvent la main dans ses cheveux. Il n'y avait plus de doute pour moi : la mélodie corporelle des deux femmes était en phase. Une idylle naissait entre elles.

Confiant Esther aux bons soins de Tchavolo et de sa sœur, je rentrai à la maison en faisant un détour par le lac de la propriété. Il se laissa découvrir derrière une étroite roselière. Des demoiselles en frôlaient la surface miroitante. Je m'assis sur une pierre plate de sa berge et contemplai l'onde scintiller dans le soleil. Cette étendue d'eau était étrangement fascinante ; tel un enchantement de légende arthurienne cachant sous ses flots un château féérique. Le calme de l'étang invitait au songe. D'informes pensées s'échappèrent en désordre de mon esprit.

J'avais souvent réfléchi à ce que nous avions vécu pendant quatre jours. À cette époque, ce lac nous avait inspiré des sentiments bien moins oniriques. Son débordement nous avait contraints à nous découvrir, à nous dépasser et finalement à nous aimer. Contre toute attente, quelque chose de beau était né de la désolation provoquée par une tempête et une inondation. Comme un coquelicot dans un terrain vague. Cet isolement commun nous avait transformés ensemble. Car la lutte que nous menions alors était celle d'un groupe. À cet instant, « Un pour tous, tous pour un » aurait pu être notre devise.

Le confinement sanitaire aussi nous avait changés. Mais chacun de notre côté. Il nous avait amenés à tester nos limites individuelles. À mettre en tension ce qui nous liait à nos proches. Quitte à ce que ça rompe... Cette fois-ci, nous avions dû lutter contre nous-mêmes et contre un mal insaisissable, en nous protégeant les uns des autres. « Seul contre tous » avait été le plan de bataille que l'on nous avait ordonné de suivre. Intrinsèquement, ce combat-là m'avait semblé contre nature pour l'être humain. Même les ermites comme moi en avaient été affectés.

Toutefois, je compris qu'à plus long terme cette crise sanitaire avait eu de rares effets positifs. Pour nous trois, le confinement avait permis, d'une certaine façon, de prolonger et d'approfondir le travail accompli sur nous-mêmes pendant l'inondation. Sans le virus, Josef ne serait pas mort. Esther, Tchavolo et moi aurions-nous alors maintenu nos liens ? Cette belle histoire d'amitié que nous poursuivions aurait-elle pu perdurer sans la disparition de Josef ?

Soudain, tel le trait d'une flèche de cobalt, un martin-pêcheur traversa le lac. Cet éclair bleu me tira de la confusion de mes sombres pensées. Je me levai et repris mon chemin vers la maison.

Tchavolo et Esther me retrouvèrent vers dix-huit heures dans le salon. J'y retravaillais les premiers chapitres de mon roman en savourant « Zadok the Priest » de Haendel, à plein tube dans mes écouteurs. Depuis la mort de Josef, la musique classique était redevenue un plaisir solitaire.

Je les invitai à s'asseoir sur « leur » canapé et leur servis une coupe de champagne.

« À nous, mes amis ! » leur lançai-je en levant mon verre.

Nous trinquâmes et discutâmes de choses anodines.

Au bout de quelques minutes, je leur fis part de l'idée qui me trottait en tête :

« Depuis que Tchavolo a fait un trou dans le plafond, je suis monté dans le grenier pour voir ce que Josef y avait entreposé. Il s'agissait de la collection d'œuvres d'art donnée par son vieil oncle antiquaire. Surtout des peintures à l'huile, des sculptures et quelques gravures… En regardant les toiles de plus près, l'une d'elles a retenu mon attention car j'étais sûr d'y reconnaître la patte de Paul Cézanne…

— Ah ouais ! Rien que ça… réagit Esther.

— Du coup, je l'ai faite expertiser. Et je ne m'étais pas trompé… Je ne pense pas que les autres soient toutes de cet acabit. Mais rien que celle-là représente un beau paquet d'argent… Je pense que Josef n'en savait rien : la toile était encore enveloppée dans du papier kraft. Tout le lot de tableaux était enfoui et oublié sous un tas de vieilleries.

— Et tu vas en faire quoi de cette peinture ? demanda Tchavolo.

— Je l'ai confiée à un marchand d'art pour qu'il lui trouve un acheteur…

— As-tu le droit de faire ça ? Ce tableau ne fait-il pas partie de l'héritage des petits-enfants de Josef ?

— Le notaire m'a confirmé que je possède la maison et tout ce qu'elle contient. Ce sont les termes du viager. Tous ces objets sortent de l'héritage car ils ont été vendus avant sa mort.

— Alors, te voilà bientôt riche, Roland ! me félicita Esther.

— En fait, c'était l'argent de Josef. Je ne me vois pas le garder pour moi. Je pensais plutôt l'utiliser pour nous trois, ici… J'ai une proposition à vous faire… Dites-moi ce que vous en pensez… »

Le soir, nous dînâmes tous ensemble dans la cour de la maison. J'avais demandé aux amis de Tchavolo de se joindre à nous. À grand renfort de bouteilles de champagne prélevées dans l'ancienne cave de Josef, nous fêtâmes dignement l'arrivée d'Esther.

Notre longue tablée avait été équipée de nombreux chandeliers, comme à l'époque de l'inondation. La chaude lumière dorée des bougies donnait une tonalité bohémienne à notre soirée. Au son des guitares et des chants tsiganes, l'ambiance était joyeuse et les conversations débridées. Il me sembla que les pierres de la maison vibraient à l'unisson des mélodies manouches et de nos rires. Une atmosphère magique flottait sur les lieux.

J'observai Tchavolo assis à une extrémité du banquet. Il plaisantait avec ses amis. Son visage rayonnait d'allégresse. Il me vit et leva son verre à ma santé.

Plus près de moi, Esther et Esmeralda s'étaient installées l'une en face de l'autre. Au milieu des rires et des éclats de voix du reste de la troupe, elles discutaient ensemble doucement. Les lueurs dansantes des chandeliers caressaient leurs traits séduisants. La pénombre fauve de la soirée révélait l'intensité des regards qu'elles se portaient. Les deux jeunes femmes vivaient ce précieux et délicat instant d'un amour qui s'éveille et s'envole. Une fragile alchimie des sentiments que m'avait toujours évoquée la Suite Bergamasque de Debussy. En particulier son troisième mouvement « Clair de Lune ».

La mélodie me vint en tête. Je levai les yeux vers les étoiles qui scintillaient au-dessus du toit de la maison. Que la nuit était douce…

Une grande chouette blanche se posa sur la cheminée. Mon regard croisa le sien. Je pensai à Josef ; l'animal symbolisait la perspicacité dans les ténèbres et la sagesse dont faisait preuve notre vieil ami.

Je tendis mon verre vers l'oiseau :

« Lé Haïm ! »

Épilogue

Esther et Tchavolo avaient accepté ce que je leur avais proposé début août :

« Toi, Tchavolo, tu as besoin d'un terrain et de bâtiments pour faire marcher ton projet de troupe artistique. Avec l'argent du tableau, on pourrait faire ça ici et construire ce qu'il faut. Toi, Esther, tu nous as dit que tu rêvais de vivre dans une ferme. Ici c'en était une et, si tu veux, on pourrait la recréer pour que tu en vives… Et moi, il me faut un lieu où je peux m'échapper de temps en temps… Pour écrire ou travailler au vert… Vous en pensez quoi ? Vivre en communauté tous les trois ici… »

Coupes de champagne en main, ils étaient restés silencieux et éberlués.

Après un court instant, Tchavolo avait réagi :

« Moi ça me va, Roland ! Ce que tu dis est vrai… En pratique, c'est compliqué de ne pas pouvoir rayonner depuis un lieu fixe où on ne risque pas d'être chassés par les flics. Sans base pour me déployer, je n'arriverai à rien. »

La jeune femme était restée perplexe.

« Prends le temps d'y réfléchir, lui avais-je dit.

— C'est tentant et ça ne me déplairait pas de faire la fermière. Mais j'ai appris à ne plus me lancer tête baissée… Je vais peser le pour et le contre pendant quelques jours », m'avait-elle répondu.

Le surlendemain, elle me disait oui.

Nous étions le jeudi 22 octobre 2020. Quelques jours avant l'annonce d'un nouveau confinement…

A la fin de l'été, la troupe de Tchavolo avait assuré ses premiers spectacles dans la région. Un succès à chaque représentation. Le jeune manouche et ses amis avaient même eu droit à un reportage télévisé.

Les travaux de réhabilitation et d'extension de la maison en exploitation fermière étaient en cours. Esther suivait une formation professionnelle à distance en agriculture et s'apprêtait à démarrer un stage dans un élevage de canards proche d'ici. Elle envisageait de se lancer dans la fabrication d'œufs biologiques et de fromages de chèvre. Parallèlement, sa relation avec Esmeralda s'ancrait dans la durée. Esther avait renoué les liens avec ses parents. Elle projetait même de leur présenter sa compagne.

Tout se passait bien pour mes deux amis. J'en étais satisfait.

Cela faisait presque un an que notre étrange rencontre avait eu lieu. Cet épisode m'avait transformé.

Au contact de mes camarades d'inondation, j'avais remis en cause certaines de mes convictions sur moi-même et les autres. Je m'étais découvert une empathie et une émotivité qui avaient toujours semblé me faire défaut. Grâce à eux trois, je voyais désormais la jeunesse et mon propre avenir avec un certain optimisme.

Le confinement sanitaire qui suivit n'avait fait que confirmer cette métamorphose : d'asocial mélancolique, j'étais devenu un solitaire bienveillant. À l'image de Josef.

Je n'avais connu que peu de temps mon vieil ami décédé. Mais, à sa façon, il m'avait inspiré. Tel un mentor en humanité. Mes compagnons et moi l'avions extrait d'une inondation qui manqua de l'engloutir autant que lui m'avait sorti de mon « marais aux mauvaises pensées ».

Esther et Tchavolo, chacun à leur manière, m'avaient également brusqué, accompagné et conduit au bout de cette renaissance. Ils m'avaient autorisé à entrer dans leurs existences et à devenir meilleur à travers eux.

Ce jour-là, en fin d'après-midi, je m'assis au bord du lac de la propriété. Sur la même pierre plate qu'à l'accoutumée.

Un rideau d'arbres décharnés dessinait ses berges. Son reflet sombre s'étendait sur sa surface pâle et immobile. L'atmosphère était humide et froide. Une nuée de corbeaux passa dans le lointain. La nature semblait se figer à l'approche de l'hiver. Aucun souffle d'air ne perturbait l'esthétique romantique de ce paysage digne de la Mare au Diable de Georges Sand. Il était vraiment difficile d'imaginer que dix mois plus tôt ces lieux avaient été totalement balayés et lessivés par une tempête.

Iris avait beaucoup détruit. Mais elle avait aussi créé. Telle une divinité grecque primitive au visage souvent multiple. Notre amitié était née des conséquences de son passage.

Et avant Iris, rien de notre belle rencontre ne serait arrivé sans ma recherche de vieux disques vinyles. Sans cette quête d'un temps qui n'existe plus et ma ferveur pour la musique classique. Elles avaient conduit mes pas ici. Le hasard fait parfois bien les choses...

Le soleil s'apprêtait à achever sa course à l'extrémité du vaste étang. Ses rais obliques et orangés lui donnaient une éphémère douceur. Une subtile impression de fantastique émanait des eaux du lac. Je me laissai aller à cette magie crépusculaire.

Ce paysage vibrait comme un air de Brahms. Comme un solo de violoncelle. Celui du début du premier mouvement de son double concerto pour être exact.

— FIN —

Né à Paris en 1975 et vivant à Caen depuis 2001, Laurent Fortier est ingénieur-géologue indépendant et expert judiciaire.

L'amour de la musique classique et des objets du passé a été sa première motivation à écrire ce roman. Mais surtout le prétexte pour exprimer son point de vue sur notre époque, les relations humaines, l'art, la beauté des lieux et des personnes. Ayant démarré son écriture fin novembre 2019, Laurent Fortier ne se doutait pas que l'actualité sanitaire des mois suivants percuterait de plein fouet le récit qu'il avait imaginé.

Sous le pseudonyme d'Elton Furratier, il est également l'auteur de deux romans policiers faisant partie de la trilogie "Les Enquêtes du Furet" et publiés aux éditions IS Edition dans la collection Sueurs Glaciales :

- Mortels éthers - tome 1 (août 2013)

- Rompicapo - tome 2 (mars 2016)

(Livres disponibles sur : https://www.is-ebooks.com/search?utf8=%E2%9C%93&q=furratier)